© Vydavateľstvo Junior
Vydáno pro Fortunu Libri, Praha 2008
Ilustrace © Renáta Madyová-Iršai
Převyprávění © Alena Peisertová
Distribuce: Levné knihy KMa, spol. s r. o.

www.levneknihy.cz

Všechna práva vyhrazena

ISBN 978-80-7321-425-8

Pohádky

Boženy Němcové

Obsah

Pohádky
Boženy Němcové

O Slunečníku, Měsíčníku a Větrníku

Žil byl jeden král a ten měl syna a tři dcery. Jednou musel nenadále i s královnou na tři dny odjet. Dal tedy zámek i dcery na starost synovi a přikázal mu, aby se o všechno řádně postaral.

Sotva však král ze zámku paty vytáhl, zavýskl si princ Jan radostí a pospíchal na zahradu za sestrami. „Děvčata!" volal na ně už zdaleka. „Tři dny si můžeme hrát, jak se nám zlíbí. Ale musíte mě poslouchat. Teď jsem tu králem já."

„Nebudeme tě poslouchat," odmlouvaly sestry. „Hraj si sám. Beztak nám jen ubližuješ, nic dobrého nám neuděláš."

„Když mě nebudete poslouchat, nechám vás o hladu," vyhrožoval Jan.

„Tak ty takhle!" rozzlobila se děvčata. „Jen počkej, to ti nedarujeme!"

Princezny nalámaly větve a začaly je po bratrovi házet. Jan jim utekl, ale za chvíli už je zase pokoušel a honil. Tak se škádlili až do večera.

„Co se člověk s těmi děvčaty nazlobí," lamentoval Jan, když se večer ukládal ke spánku.

Vtom se tiše otevřelo okénko a kdosi zašeptal: „Proč by ses trápil se třemi? Dej jednu z nich mně."

„Proč ne? Ale nejdřív mi pověz, co jsi zač," řekl Jan. Myslel, že s ním někdo jen žertuje.

„Jsem Slunečník, král slunce, a chci tvou nejstarší sestru za ženu."

„Tak tedy chvilku počkej, já ti ji přinesu. Bude to pro ni velká čest, když se stane ženou tak mocného krále." Jan běžel do ložnice, kde spala jeho nejstarší sestra, vzal ji do náruče a vrátil se do svého pokoje. Vyklonil se z okna a vložil ji Slunečníkovi do rukou. Slunečník si odnesl nevěstu po zlatém mostě do slunečního paláce.

Ráno, když princezny vstaly, vyprávěl jim Jan, co se stalo s jejich nejstarší sestrou. To bylo křiku a výhrůžek! Když však princezny večer odcházely do svých pokojů, přitočila se ta starší k bratrovi a zašeptala: „Kdyby k tobě v noci přišel zase nějaký ženich, ne abys ho nechal odejít s prázdnou."

Hleďme! pomyslel si Jan. Sestřičky jsou do vdávání celé divé.

Když vešel do ložnice, lehl si, ale nemohl usnout. Čekal, co se bude dít. K půlnoci zase někdo zaťukal na okno.

„Kdo je tam?" ozval se Jan.

„Měsíčník, král měsíce. Přišel jsem tě požádat, abys mi dal svou prostřední sestru za manželku."

„Milerád," zaradoval se Jan. „Chvilku počkej, hned pro ni dojdu."

Princ odběhl pro sestru. Měsíčník ji vzal do náruče a odnesl po stříbrných oblacích do měsíčního paláce.

Když Jan ráno vstal, vyprávěl nejmladší sestře, co se v noci přihodilo. Princezna plakala a vyhrožovala bratrovi, že všechno poví otci. Ale večer i ona začala prosit, aby jí také opatřil hezkého ženicha.

Princ ležel v posteli a čekal. Vtom někdo zaťukal na okno ložnice.

„Kdo je tam?" zeptal se princ. Byl zvědavý, kdo se ozve do třetice.

„Větrník, král větrů. Přišel jsem tě požádat o ruku tvé nejmladší sestry."

„Beze všeho ti ji dám," řekl Jan. „Chvilku počkej, hned pro ni doběhnu."

Větrník vzal nevěstu do náruče, nasedl do blankytně modrého vozu, k němuž byli zapřaženi čtyři bujní koně, a odletěl s ní do větrného zámku.

Udělal jsem dobře, liboval si princ. Budu mít pořádné švagry.

Druhého dne se vrátil král s královnou. Jan jim hned běžel naproti.

„Kde jsou děvčata?" vyptával se král.

„No, jak bych to řekl...," začal Jan. „Já je všechny tři provdal."

„Co to povídáš!" zhrozili se rodiče. „Za kohos je provdal?"

„Jedna je královnou slunce, druhá královnou měsíce a třetí královnou větrů." Princ vypověděl, jak se to všechno seběhlo.

Když rodiče uslyšeli, jaké jejich dcery potkalo štěstí, přestali se na Jana zlobit. Jen to mu vyčítali, že na ně nepočkal.

Princi se po čase začalo po sestrách stýskat. Rozhodl se, že se za nimi podívá a možná si také nějakou nevěstu najde.

Otec mu to nejdřív nechtěl dovolit, ale když Jan stále naléhal, nakonec svolil. Princ si nabral něco peněz, sedl na koně a vyrazil do světa.

Když už kolik dní jezdil, přijel na zelenou louku, kde leželo množství mrtvých vojáků. Asi tu byla nějaká bitva, usoudil Jan a jel dál.

Zanedlouho dorazil k nádhernému zámku. Princ se rozhodl, že se podívá dovnitř.

„Kampak, panáčku?" zeptal se ho stařeček, který seděl u zámecké brány. „Cožpak nevíš, že na zámku na tebe čeká jistá smrt?"

„Proč?" podivil se Jan. „Bydlí tam snad sedmihlavý drak?"

„Žádný drak, jen krásná princezna. Je tak silná, že přemůže celé vojsko. Nedávno se potýkala s mocným králem, který ji chtěl za manželku. Řekla, že si ho vezme, jen když ji přemůže. Král její podmínku přijal a přivedl si na pomoc vojáky. Ale ona je všechny přemohla. Jakpak by ses jí, panáčku, chtěl ubránit?"

„Nějak bylo, nějak bude. Zkusím to," odvětil princ a odvážně projel zámeckou branou. Na nádvoří slezl z koně a vešel do zámku. V nádherné komnatě vykládané zlatem a drahým kamením visel na stěně meč, který sám z pochvy vyskakoval.

„Pojď ke mně," promluvil k meči princ. „Budeš se mi hodit."

Vzal meč a svůj zasunul místo něj do pochvy. Sotva to udělal, vešla do komnaty překrásná panna.

„Jak ses opovážil vstoupit do mého zámku?" obořila se na Jana. „Víš, že ti hrozí smrt?"

Princ od neznámé krasavice nemohl odtrhnout oči. Až po chvíli se zmohl na odpověď. „Nevěřím, že bys byla tak krutá a chtěla mě zabít."

„Nechci tě zabít, ale budeme se spolu potýkat. Vyhraješ-li, stanu se tvým vězněm a tvé bude vše, co tu vidíš. Ale když prohraješ, musíš zemřít."

„Dobrá," souhlasil princ. „Vezmi tedy meč."

Princezna přiskočila ke zdi a vytasila meč. Ani si nevšimla, že zbraně někdo vyměnil. Sotva se dotkla meče, který držel princ, byl ten její vedví a z ruky jí vypadl.

„Ó běda!" vykřikla princezna. „Nyní jsem tvým vězněm."

Princ o tom nechtěl ani slyšet, ale krásná panna trvala na svém. „Tys tu nyní pánem, já tě musím poslouchat."

„Nechci ti poroučet, ale byl bych rád, kdybys mi splnila jedno přání."

„A jaké přání by to mělo být?" zeptala se princezna.

„Chtěl bych, aby sis mě zamilovala a stala se mou ženou."

„Ráda tvé přání splním," usmála se princezna a podala Janovi ruku. „Líbíš se mi. Vždycky jsem si přála mít silného a udatného muže."

Princ se zaradoval a políbil princezně ruku.

„Ale dřív než bude svatba, musíš mi dovolit, abych na sedm dní ze zámku odjela," zarazila jej princezna.

„A kam pojedeš?" vyzvídal Jan.

„To nesmím nikomu prozradit. Tady máš klíče od zámeckých komnat. Všechny si můžeš prohlédnout, ale tu poslední, třináctou, nesmíš otevřít, jestli chceš, abych se stala tvou ženou."

Nato se rozloučili a princezna odjela.

První den chodil princ z komnaty do komnaty, procházel se po zahradě a rozmlouval se služebnictvem. Druhý den zrovna tak. Třetí den se mu začalo stýskat po princezně. Z dlouhé chvíle převracel v ruce zlatý klíč od zakázané třinácté komnaty.

„Snad mě chtěla jen zkoušet," mluvil sám k sobě. „Co by tam mohlo být, abych to jako její budoucí manžel nesměl vidět? Jen jedním očkem tam nahlédnu. Vždyť to ani nepozná."

Zvědavý Jan zasunul klíč do zámku třinácté komnaty a otočil jím. Když otevřel, uviděl uvnitř člověka přikovaného ke zdi rozpáleným řetězem.

„Kdo jsi a co tu děláš?" zeptal se princ.

„Buď od té dobroty a pomoz mi odtud," prosil ten člověk. „Jsem král ohně. Princezna mě v boji přemohla. Když všichni mí lidé padli, dal jsem se na útěk, ale ona mě dohonila a ke zdi přikovala."

Jan váhal, ale když ten muž stále prosil, nakonec se nad ním smiloval a řetěz přeťal. Jakmile byl král volný, hned z komnaty zmizel. Tu se Jan teprve vylekal. Běžel na nádvoří, ale po králi nebylo nikde vidu ani slechu.

Jan s velikými obavami očekával princeznin návrat. Už minulo dvakrát sedm dní, ale jeho nevěsta se stále nevracela. Princ poznal, že je zle. Naříkal a bědoval, ale nebylo to nic platné. Nakonec si vzpomněl na své švagry. Hned rozkázal, aby mu osedlali nejrychlejšího koně, a vyrazil na cestu.

Nejdřív dojel do slunečního zámku. Sluneční a nejstarší sestra ho jaksepatří přivítali. Jan se jim svěřil, jaké neštěstí ho potkalo, a ptal se Slunečníka, zdali neví, kde by jeho nevěsta mohla být.

„Nevím, milý švagře, ale možná o ní bude vědět bratr Měsíčník. Doprovodím tě k němu."

Slunečník Jana na zlatých perutích donesl do měsíčního zámku.

„Vítáme tě, švagříčku," zaradoval se Měsíčník. „Co tě k nám přivedlo?"

Jan pověděl, co se stalo, a zeptal se, kde má svou nevěstu hledat.

„Nevím, milý hochu," odpověděl Měsíčník. „Ale bratr Větrník to jistě bude vědět. Ten zalétne do každého kouta. Donesu tě k němu."

Jan se rozloučil s prostřední sestrou, královnou Měsíce, a už se švagrem na stříbrných oblacích putoval do větrného zámku.

„Podívejme, kdopak nás to přišel navštívit," podivil se Větrník a hned volal na svou ženu. Nejmladší sestra se Janovi radostně vrhla kolem krku. Jan se s ní přivítal a pak poprosil Větrníka o pomoc.

„Vím, kde je tvá nevěsta," řekl král větrů. „Ale bude těžké ji odtamtud dostat."

„A kde je?" zeptal se Jan.

„Hluboko pod zemí, v ohnivém zámku. Král ohně, ten muž, kterého jsi osvobodil, ji tam ze msty žhavým řetězem přikoval. Dávno už by shořela, kdybych ji neochlazoval."

„Co jsem to jen provedl," bědoval princ. „Za všechno může ta moje všetečnost. Poraď mi, švagře, jak bych ji mohl z ohnivého zámku vysvobodit."

„Je jediný způsob. Ohnivý král má velice rychlého koně. Snadno by vás dostihl. Potom by se vám vedlo ještě hůř. Musíš tedy mít ještě rychlejšího koně."

„Ale kde ho dostanu?"

„Takového koně má jedna čarodějnice. Neznám na světě rychlejšího koně. Ale nebude lehké ho získat. Ta čarodějnice je tuze zlá. Mnoho lidí už o život připravila. Ale nedá se nic jiného dělat. Musíš se o to pokusit, chceš-li svou nevěstu získat zpět. Zanesu tě do jejího hradu, ale nejprve se ještě musím poradit se svými bratry. Zůstaň tu a počkej na mě. Moje žena se zatím o tebe postará."

„Pojď, bratříčku," pobídla jej královna větrů. „Posilníš se na cestu a povíš mi, co je doma nového."

Než stačil Jan sestře všechno vypovědět, Větrník byl zpátky.

„Tady máš hůlku, půl zlatou, půl stříbrnou," řekl princi. „Dobře si ji schovej. Když bude zle, zastrč jí polovic do země a my ti pomůžeme. Nenecháme tě zahynout. Jsme přece tví švagři."

Jan se rozloučil s nejmladší sestrou a rychle nasedl do vozu. Tři dny a tři noci letěli, než se dostali k hradu staré čarodějnice. Koně dosedli na zem, Větrník se s princem rozloučil a princ neohroženě kráčel k hradu, který se tyčil mezi černými skalami. Místo zahrad byly kolem bažiny, kde nerostlo ani bodláčí, místo zdí černé kůly a na nich lidské lebky!

Vtom se otevřela vrata a v nich stála ohyzdná čarodějnice; nos jako orlí zobák, místo vlasů háďata, bezzubá ústa. Na shrbeném těle jí visel šedivý rubáš přepásaný hadem.

„Co tu pohledáváš?" zeptala se sípavým hlasem Jana.

„Chci k tobě do služby," odpověděl Jan neohroženě, ale do smíchu mu vůbec nebylo.

„Hm, do služby bys rád! A jestlipak víš, jaká je u mě služba?" zaskřehotala čarodějnice.

„Nevím," přiznal se princ. „Ale umím se postavit ke každé práci."

„U mě trvá služba jen tři dny a tři noci. Kdo však mé rozkazy nevyplní, tomu se vede jako těm, jejichž lebky tu vidíš," řekla babizna a ukázala kostnatým prstem k plotu. „A jakou mzdu žádáš?"

„Nechci nic jiného než tvého nejrychlejšího koně."

„Když vykonáš, co ti poručím, máš ho mít," ušklíbla se stará čarodějnice a oči se jí potměšile zaleskly. Zas jeden, co mi vběhl do tenat, zaradovala se v duchu.

Druhý den baba odvedla Jana do stáje, kde stálo dvanáct hřebců, a pravila: „Ty hřebce zaženeš tamhle do té ohrady. Bude-li večer jeden jediný scházet, přijdeš o hlavu."

Nato šlehla každého koně bičíkem a oni se sami hrnuli ze stáje. Ale sotva vyběhli ze vrat, rozutíkali se na všechny strany. Jan by je byl sotva zahnal do ohrady, kdyby si nevzpomněl na dárek, který mu dali jeho švagři. Zastrčil hůlku do země a v tom okamžení začalo ukrutně pálit slunce. Jen v ohradě byl příjemný chládek a koně se tam rádi sami seběhli. Když si pro ně baba večer přišla, velice se divila, že ani jeden nechybí.

Druhý den zase odvedla Jana do stáje, kde stálo čtyřiadvacet hřebců. Tentokrát už byl princ chytřejší a nečekal, až se mu koně rozutečou. Hned vrazil hůlku do země. V tom okamžení se přihnala divoká vichřice. Jen v ohradě byl klid. Večer nechyběl ani jeden kůň. Čarodějnice si lámala hlavu, jaký úkol by pro Jana vymyslela, aby ho nemohl vykonat.

Když si pozdě večer vyšel Jan na procházku, potkal Měsíčníka.

„Zítra tě čeká perná práce, švagře," řekl Měsíčník. „Budeš muset podojit dvanáct divokých krav a z jejich mléka připravit čarodějnici lázeň. Ona ti poručí, abys ses sám nejdřív vykoupal. Ničeho se neboj a poslechni ji. Teď jdi dozadu za hrad, a kde měsíční záře nejvíce svítí, tam kopej. V zemi na-

jdeš zlatý bič. Vezmi ho a dobře schovej. Až budeš krávy dojit, každou tím bičem šlehni a ony budou stát jako beránci. A až odsud na koni pojedeš, vykoupej ho v nejbližším rybníce a potom ujížděj pro svou nevěstu."

Jan pěkně poděkoval a udělal, co mu švagr poručil. Zlatý bič dobře schoval a šel spát. Časně ráno ho čarodějnice odvedla do chléva, kde bylo dvanáct krav, které střečkovaly a bučely jako divé.

„Ty krávy musíš podojit a z toho mléka pro mě lázeň připravit," rozkázala baba a odešla.

Jan vzal bič a každou krávu jím šlehl. Všechny hned stály jako beránci a nechaly se podojit. Když jejich mléko nalil do žlabu, bylo tak horké, že se div nevařilo. Potom šel pro čarodějnici. Baba se zlostí celá třásla, když viděla, že se Janovi podařilo divoké krávy podojit. Strčila prst do horké lázně a řekla: „Teď se vykoupej." Myslela, že se bude bát.

„Proč bych se nevykoupal? Ale dřív, než do lázně vlezu, přiveď sem toho koníka, abych se přesvědčil, že ho opravdu máš."

Baba šla a za chvíli koně přivedla. Byl chudák celý špinavý a vyzáblý. Princi se nechtělo věřit, že by to mohl být nejrychlejší kůň na světě. Vzal ho za uzdu, uvázal ke sloupu a vlezl do lázně. Vtom zavanul větřík a mléko zchladil. Když se Jan vykoupal, byl sedmkrát krásnější než dřív, že se do něho i ta zatvrzelá duše zamilovala. Rozhodla se, že se taky vykoupe, aby byla sedmkrát krásnější, a mládence už nenechá odejít.

Nahlas však řekla: „Když jsi všechno tak dobře vykonal, koník je tvůj. Ale neodcházej, dokud se i já nevykoupu."

Na ta slova vlezla do lázně. Vtom začalo slunce tak pálit, až se mléko vařilo klokotem. Jan na nic nečekal, sedl na koně a uháněl z pochmurného hradu pryč.

Když přijel k nejbližšímu rybníku, zastavil a koně vykoupal. Špinavý, vyzáblý kůň byl rázem bílý jako sníh a hladký jako aksamit. Hříva a ocas se mu stříbřitě leskly, nohy měl jako strunky, podkůvky z ryzího zlata. Jan se s radostí vyšvihl do sedla a už ujížděli dolinou, až za nimi od kopyt jiskry pršely.

Netrvalo dlouho a byli v ohnivém zámku. Janova nevěsta stála v komnatě přikovaná řetězem ke stěně. Prosila Jana, aby rychle utekl, nebo jej ohnivý král usmrtí. Ale udatný princ vytáhl meč a řetěz přeťal. Potom vzal dívku do náruče, nasedl na koně a uháněl pryč.

Král se zrovna díval z okna, když se na nádvoří mihl kůň stříbrohřívek s osvobozenou princeznou a odvážným princem v sedle. Vzteky bez sebe vyběhl ven, sedl na svého rychlého koně a chtěl je dohonit. Ale tentokrát se zmýlil! Ať dělal, co dělal, už je nedohonil.

Stříbrohřívek zatím pána a paní donesl až do jejich zámku. Dlouho se však nezdrželi. Hned druhý den se vypravili k rodičům. Ti nemohli uvěřit svým očím, že se jim jediný syn vrátil živ a zdráv, a ještě k tomu s krásnou nevěstou. Hned začali chystat svatbu, na kterou přijeli i Slunečník, Měsíčník a Větrník se svými ženami.

Chytrá horákyně

Žili dva bratři. Jeden z nich byl bohatý sedlák, neměl žádné děti a byl tuze lakomý. Druhý, chudý chalupník, měl jedinou dceru a byl velký dobrák. Když šlo děvčeti na dvanáctý rok, dal jí k bratrovi za husopasku. Dvě léta sloužila za stravu, po dvou letech zesílila a nastoupila za děvečku.

„Služ jen, Manko, poctivě," řekl jí strýc, „až půjdeš ze služby, dám ti místo mzdy jalovici. Právě mám čtyřnedělní tele, to dochovám a tobě to bude jistě milejší než peníze."

„To víte, že bude," odpověděla Manka, a od té chvíle byla do práce jako oheň a krejcaru strýci neumařila.

Ale strýc byl šelma. Manka sloužila tři léta spravedlivě a bez reptání, ale otec churavěl, a ona musela domů. Žádala tedy jalovici, z které už byla statná kráva. Tu obrátil milý strýc kolečka, spustil kdesi cosi, a že jí tolik nedá, že jí to neslíbil, a chtěl ubohou Manku několika groši odbýt. Ta však nebyla tak hloupá, aby peníze přijala. Doma s pláčem otci všechno pověděla a chtěla, aby šel panu prokurátorovi žalovat. Otec se velmi rozzlobil na nesvědomitého bratra, šel bez meškání do města a žalobu přednesl.

Pan prokurátor ho vyslechl a poslal pro sedláka. Sedlák ale dobře tušil, že musí jalovici dát, jestli to pan prokurátor nějak nespraví, proto hleděl, jak ho na svou stranu dostat.

Pan prokurátor byl na rozpacích. Bohatého by si nerad rozhněval, a chudý měl přece právo na své straně. Rozsoudil tedy chytrým způsobem. Zavolal si každého zvlášť a dal jim hádanky.

„Co je nejbystřejšího, co nejsladšího a co nejbohatšího?" zeptal se pan prokurátor. „Kdo to uhodne, dostane jalovici," rozhodl.

Mrzuti odešli bratři domů. Celou cestu rozvažovali, co by to asi mohlo být, ale ani jeden, ani druhý se nemohl pravdy dobrat.

„Tak jak?" ptala se žena bohatého sedláka, když přišel domů.

„Čert aby ty soudy vzal, teď jsem v pěkné bryndě," řekl sedlák a hodil čepici na stůl.

„No a proč, co se ti stalo, prohrál jsi?"

„Co prohrál! Neprohrál, ale co nejspíš teprv prohraju. Prokurátor mně dal hádanku: Co je nejbystřejšího, co nejsladšího a co nejbohatšího? Jestli to uhodnu, jalovice bude naše."

„To je řečí kvůli hádance. Sama ji uhodnu. Co by mohlo být bystřejšího nad našeho černého špicla, co sladšího nad náš sud medu, co bohatšího nad naši truhlu tolarů?"

„Dobře máš, ženo, tys to uhodla, jalovice je naše," zaradoval se milý sedlák a pustil se do pečeně, kterou mu žena přistrojila.

Chalupník šel domů celý smutný, pověsil klobouk na hřeb a sedl za stůl.

„No, jak jste pořídil, táto?" ptala se Manka.

„Ba pořídil. Jsou to páni, ti by člověka div nezbláznili."

„Nu tak co, povídejte."

Táta povídal, co mu pan prokurátor uložil.

„Nu a co víc?" usmála se Manka. „To já sama uhodnu, jen nebuďte smutný, ráno vám to povím."

Chalupník ale proto přece celičkou noc oka nezamhouřil.

Ráno přijde Manka do sednice a povídá: „Až se vás bude pan prokurátor ptát, řekněte, nejsladší že je spaní, nejbystřejší oko a nejbohatší zem, z níž všecko pochází. Ale to vám povídám, ne abyste prozradil, od koho jste se to dozvěděl."

Chalupník šel k panu prokurátorovi, zvědav, zdali ta odpověď bude tou správnou.

Nejdříve zavolal prokurátor sedláka a ptal se ho na rozluštění hádanky.

„Inu, já myslím," odpověděl sedlák, „že nemůže být nic bystřejšího než můj špicl, který všecko vyčmuchá a vyslídí, nic sladšího než můj sud medu, který již čtyři léta leží, a nic bohatšího než moje truhla plná tolarů."

„Milý sedláku," řekl pan prokurátor a pokrčil rameny, „to se mi nějak nezdá, ale ještě vyslechnu, s jakou přišel tvůj bratr."

„Milostivý pane, já myslím, nejbystřejší že je oko, které mžikem všechno přehlídne, nejsladší že je spaní, neboť ať je člověk jak chce zarmoucen a utrmácen, když spí, neví o ničem a někdy se i ve snu potěší, a nejbohatší že je zem, z níž všechno naše bohatství pochází."

„Tys uhodl a dostaneš jalovici. Ale pověz mi, kdo ti to řekl, neboť vím, že se to z tvé hlavy neurodilo."

Dlouho nechtěl chalupník povědět, ale když pán na něho naléhal, spletl se a vyšel s pravdou ven.

„Dobře tedy, když je tvá dcera tak chytrá, ať přijde zítra ke mně, ale ať to není ani ve dne, ani v noci, ani pěšky, ani na voze, ať není ani ustrojená, ani nahá."

To byl pro chalupníka zase kámen na srdce.

„Milá Manko!" řekl, když přišel domů. „Tys to pěkně spravila. Prokurátor nechtěl věřit, že to mám ze své hlavy, a já musel s pravdou ven. Teď máš k němu přijít, ale nemá to být ani ve dne, ani v noci, ani pěšky, ani na voze, a nemáš být ani nahá, ani ustrojená."

„Nu, to je toho, jen se nestarejte, však já to nějak vyvedu."

O dvou hodinách s půlnoci milá Manka vstala, vzala řídký režný žok a oblékala ho na sebe, na jednu nohu natáhla punčochu, na druhou naboso střevíc, a když bylo ke třetí hodině, mezi dnem a nocí, sedla na kozu a napolo pěšky, napolo po jezdecku do města se dostala. Pan prokurátor se koukal z okna a chytrou horákyni již očekával. Když viděl, že tak dobře svou úlohu provedla, vyšel jí naproti a pravil: „Vidím, že jsi vtipné děvče, chceš-li, vezmu si tě za ženu."

„Proč ne," odpověděla Manka a přeměřila si pana prokurátora od hlavy k patě. Ženich vzal hezkou nevěstu pod paždí a vedl ji do pokoje. Nato poslal pro krejčího a dal ušít šaty pro nastávající paní prokurátorovou.

Den před svatbou přikázal ženich nevěstě, aby se nikdy do jeho věcí nepletla, sice by se musela v tu chvíli k otci navrátit.

„Udělám, jak si přeješ," odpověděla nevěsta.

Druhý den byla svatba a z Manky se stala velká paní. Ale ona se dobře do všeho hodila, ke každému byla vlídná a manžela svého milovala. Za to ji měl každý ve veliké vážnosti.

Jednou přišli k panu prokurátorovi dva sedláci, jeden měl hřebce, druhý kobylu. Když kobyla dostala hříbě, nastala otázka, komu náleží. Sedlák, co měl hřebce, tvrdil, že vším právem jemu hříbě patří; sedlák, jemuž kobyla patřila, dokazoval, že má k hříběti ještě větší právo. Tak se hádali, až se dostali k panu prokurátorovi. Sedlák, jehož byl hřebec, měl velké bohatství, i dal panu prokurátorovi dobré slovo po straně a hřebec dostal hříbě.

Zatím ale paní prokurátorová všechno ve vedlejším pokoji vyslechla. Nelíbil se jí nespravedlivý rozsudek manžela. Když vyšel chudší sedlák ven,

zakývala na něho a vzala si ho stranou. „Vy hloupý," pravila, „pročpak jste se nechal tak napálit? Kdopak to jakživ slyšel, aby měl hřebec hříbě?"

„Inu, já si také myslím, že se mi velká křivda stala, ale když milostpán tak rozhodl, co mám dělat?"

„Věřím vám, ale poslechněte, co vám řeknu, pod tou podmínkou, že se žádný nedoví, kdo vám tu radu dal. Zítra okolo poledne vezměte síť, vylezte na vrch a dělejte, jako byste chytal ryby. Můj muž půjde s několika pány kolem. Až vás uvidí, budou se ptát, co tam děláte, a vy jim odpovězte: když mohou mít hřebci hříbata, mohou také na vrchu ryby růst."

Sedlák paní poděkoval a slíbil, že se podle její rady zachová.

Druhý den si vyšel pan prokurátor s několika pány na lov. Tu vidí již zdaleka na vršku sedláka sítě roztahovat. Pustili se všichni do smíchu, a když přišli až k samému vrchu, ptali se sedláka, co tam dělá.

„Chytám ryby," odpověděl sedlák.

„Kdo to jakživ slyšel, aby na vrchu ryby rostly?" divil se pan prokurátor.

„Když mohou mít hřebci hříbata, mohou také na vrchu ryby růst."

Pan prokurátor zůstal jako pivoňka. Hned si ale zavolal sedláka dolů, vzal ho na stranu a povídá:

„To hříbě je tvoje, ale dříve mi povíš, kdo ti tu radu dal."

Sedlák zapíral, co mohl, ale nakonec přece paní prokurátorovou vyzradil.

Navečer přijde pan prokurátor domů, ale paní si ani nevšimne, chodí po pokoji, nemluví ani slova a na žádnou otázku neodpovídá. Paní si hned pomyslela, jaký škvor mu v mozku vrtá, nicméně trpělivě očekávala, k jakému konci se to schýlí.

Po hodné chvíli zůstal pan manžel se zamračenou tváří před ní stát a pravil: „Víš-li pak, co jsem ti před svatbou přikazoval?"

„Vím to, vím."

„Pročpak jsi tedy sedlákovi radila?"

„Protože nespravedlnost snést nemohu. Ubohý sedlák byl ošizen."

„Aťsi byl ošizen nebo ne, tobě do toho nic nebylo. Nyní se vrať, odkud jsi přišla. Abys však neřekla, že jsem i s tebou nespravedlivě naložil, dovolím ti odtud vzít, co je ti nejmilejší."

„Děkuji, milý muži, když jinak být nemůže, poslechnu. Dovol, abych ještě naposled s tebou povečeřela, jako by se pranic mezi námi neudálo."

Manka běžela hned do kuchyně, dala dobrou večeři přistrojit a to nejlepší víno uchystat.

Když bylo jídlo na stole, sedli oba za stůl, jedli, pili a hovořili jako o hodech. Paní připíjela manželovi dost a dost, a když viděla, že už má v hlavě, poručila služebníkovi, aby jí ještě jednu nalitou sklenici podal.

„Milý muži! Tu sklenici vína vypij na moje zdraví a na rozloučenou. Jak to učiníš, půjdu domů."

Pan manžel vzal víno a jedním lokem jej vypil na zdraví manželčino; ale již ledva jazykem vládnul. Po chvilce mu hlava sklesla a on tvrdě usnul. Paní všecko zamkla, služebníci pána uložili, potom ho vzali i s postelí na ramena a šli za paní. Otec spínal ruce, když uviděl pozdě v noci podivný průvod k chalupě přicházet. Teprve když mu dcera všecko vysvětlila, byl s tím spokojen.

Slunce stálo hezky vysoko, když se pan prokurátor probudil. Kouká, mne si oči, a nemůže se vzpamatovat, co se to s ním stalo. Tu vejde do dveří jeho paní v prosté, ale čisté selské sukni, s červeným čepcem na hlavě.

„Ty jsi tu ještě?" ptá se jí.

„Nu, proč bych nebyla? Vždyť jsem doma."

„A co já tu dělám?"

„Což jsi mi nedovolil, abych si vzala s sebou, co mi je nejmilejší? Tys mi nejmilejší, tedy jsem si vzala tebe."

Pan prokurátor se dal do smíchu a řekl: „Budiž ti odpuštěno! Vidím, že jsi nade mne chytřejší, proto budeš od dnešního dne ty soudit, a ne já."

Paní prokurátorová tomu byla ráda, a od toho dne soudila ona a bylo všude dobře.

Princc Bajaja

Mladý král se musel s manželkou svou rozloučit a odebrat se do boje. Nedlouho po jeho odjezdu porodila královna dvojčata, oba syny. To bylo radosti po celé zemi! Hned se vypravili poslové, aby tu radostnou zprávu sdělili králi. Chlapci rostli jako z vody. Oba byli zdrávi, ale ten, který byl o nějaké okamžení starší, měl se lépe k světu než druhý, a tak zůstali, i když trochu povyrostli. Starší byl stále na dvoře, běhal, skákal a sápal se na koníka, jenž s ním byl stejného stáří. Druhý ale nejraději po měkkých kobercích hopkal, okolo matky se batolil a jinam nevyšel, než s ní do zahrady; proto také máti prvnímu nepřála a mladší zůstával jejím mazánkem.

Chlapcům bylo sedm let, když se král z boje navrátil a s nevýslovnou radostí matku i děti k srdci přivinul.

„Který je starší a který mladší?" zeptal se otec královny.

Ta myslela, že se ptá manžel proto, aby věděl, který má být nastávajícím králem, a podstrčila svého mazánka za staršího. Král miloval sice své syny stejnou měrou, ale když přišli do mládeneckých let, slýchal přece ten starší jmenovat mladšího budoucím králem. Bylo mu to líto a život doma jej omrzel. Jednou si postěžoval svému koníkovi a svěřil se mu, že by nejraději z domova odešel.

Kůň mu odpověděl lidským hlasem: „Když se ti doma nelíbí, jdi do světa, ale nejdřív popros otce o dovolení. A radím ti, neber s sebou žádné služebníky a na jiného koně nesedej než na mě. Bude to k tvému štěstí."

Princ se podivil, že kůň mluví lidským hlasem, a ptal se ho, jak je to možné.

„Na to se mě neptej; chci být tvým ochráncem a rádcem, dokud mě budeš poslouchat."

Princ slíbil koníkovi, že se ve všem podle jeho rad zachová, a odešel do zámku za otcem. Když mu řekl, že by si rád vyjel do světa, král o tom nejprve nechtěl ani slyšet. Zato královna hned souhlasila. A po dlouhém naléhání svolil i otec.

Hned se měli chystat služebníci, koně a komonstvo pro prince na cestu. Ale princ si vzpomněl, co mu radil jeho koník.

„Nač potřebuji, otče, tolik komonstva, koňů a lidí okolo sebe? Vezmu si jen něco peněz a pojedu na svém malém koníkovi."

Zase musel otce prosit a naléhat, než mu to dovolil. Konečně bylo všechno k cestě uchystáno a kůň stál osedlán u vrat. Nastala chvíle rozloučení. Všichni plakali a v poslední chvíli to bylo i matce líto, že dítě tak do světa jít nechává; objímala ho a líbala a přikazovala mu přísně, aby buď za rok domů přijel, anebo alespoň o sobě vědět dal.

Za nějakou hodinu už klusal koník s princem v širém poli hezky daleko za hlavním městem. Někdo by si myslel, že sedmnáctiletý kůň není již tak čerstvý! Ale princův kůň nezestárl, protože to nebyl obyčejný kůň; srst měl jako aksamit a nohy jako strunky, a čerstvý byl jako srna.

Cesty ubývalo; jeli dlouho a princ nevěděl, kam ho koník nese, když tu před sebou spatřil věže krásného města. Koník uhnul z cesty a klusal přes pole až k jedné skále, která stála nedaleko lesíka. Když tam přijeli, kopl nohou do skály, skála se otevřela a oni vjeli dovnitř.

„Nyní mě tady necháš," řekl koník, „a sám půjdeš do města ke dvoru; musíš se ale vydávat za němého. Král tě přijme do služby, měj se však na pozoru, ať se nepodřekneš. Když budeš něco potřebovat, přijď ke skále, třikrát zaklepej, a skála se ti otevře."

Princ si pomyslel: můj koník je tak moudrý, on jistě ví, k čemu mi to poslouží. Vzal své šaty a šel. Přišel do sídelního města, které bylo nedaleko, a dal se ohlásit u krále. Král vida, že je němý, slitoval se nad ním a podržel ho u sebe. Brzy poznal, že neprohloupil. Ať bylo v zámku, co bylo, mladík si se vším věděl rady. Celý den po zámku běhal, na chvíli se nezastavil. Potřeboval-li král písaře, nebylo nad něj šikovnějšího. Všichni ho měli rádi, ale že byl němý a na všecko jen „bajaja" odpovídal, začali mu říkat Bajaja.

Král měl tři dcery, jednu krásnější než druhou. Nejstarší se jmenovala Zdoběna, druhá Budinka a ta nejmladší Slavěna. U těch tří dívek byl Bajaja nejradši a také měl dovoleno s nimi třebas celý den pobývat. Vždyť byl němý, k tomu tváře snědé až strach a nosil jedno oko zavázané. Jak by se mohl některé z princezen zalíbit? Princezny ho ale přece měly rády a všude musel s nimi chodit. Vil jim věnce, přinášel kytice, svíjel zlaté nitě, kreslil ptáky a všelijaké květiny k vyšívání, a to se jim líbilo. Té nejmladší ale sloužil nejraději, a co pro ni udělal, bylo vždy nejkrásnější.

Když byl Bajaja u dvora nějaký čas, přišel jednou zrána do síně, kde král snídával, a vidí ho celého zarmouceného sedět. I ptá se ho znameními, co mu schází.

Král se na něho smutně podíval a řekl: „Milý hochu, proč se mě ptáš; nevíš-li, jaké neštěsí nám hrozí a jak trpké tři dny mi nastanou?"

Bajaja zakroutil hlavou, že neví, a na jeho tváři bylo vidět velké leknutí.

„Tedy ti to povím, ač nám pomoci nemůžeš. Před lety sem přilítli tři draci, jeden devítihlavý, druhý osmnáctihlavý a třetí sedmadvacetihlavý. Byla tenkráte taková hrůza v mém království, že strachem vlasy na hlavě vstávaly. Lidé se schovávali, protože si nebyli životem jisti. Pomalu už nebylo nikde kouska dobytka, poněvadž se všecko muselo dát těm potvorám. I tak sežraly mnoho lidí. Už jsem se nemohl na ten nářek déle dívat. Dal jsem ke dvoru přivézt kouzelnici, aby mi pověděla, čím bych ty potvory ze země vyhnal. Ale běda, když mi oznámila, že tím, jestli jim slíbím své tři dcery, které mi právě rozkvétaly. Já myslel, že si pomohu, jen když draky ze země dostanu, a přislíbil jsem tu neslýchanou oběť. Královna hořem zemřela, ale dcery se o tom nedověděly. Draci se vystěhovali a po všechna ta léta nebylo o nich ani vidu, ani slechu, až včera večer přiběhl pastýř celý bez sebe, že jsou draci zase v té samé skále, kde dříve byli, a že ukrutně řvou. Já nešťastný otec, zítra jim musím dát své první dítě, pozítří druhé a pak třetí. Potom budu žebrákem," bědoval ubohý král a vlasy z hlavy si trhal.

S tváří sklíčenou šel Bajaja k princeznám, ale na smrt se jich zděsil! V černých šatech, tváře jak z bílého mramoru, seděly všechny tři vedle sebe a žalostně plakaly, že mají svůj mladý věk tak ukrutným způsobem skončit. Bajaja je začal těšit a ukazovat, že se jistě nějaký vysvoboditel pro ně najde. Nebohé ho neslyšely a nepřestaly slzy prolévat. Ve městě zavládl veliký smutek, neboť každý královskou rodinu miloval. Celé město bylo zároveň se zámkem černým suknem potaženo.

Bajaja spěchal tajně z města přes pole ke skále za svým koníkem. Když třikrát zaklepal, skála se otevřela a on vešel dovnitř. Pohladil koníkovi lesklou hřívu, políbil mu bílou lysinu a řekl: „Koníčku milý! Nyní jdu k tobě o radu, a pomůžeš-li mně, budu navždy šťasten."

Nato začal koníkovi vše, co se v zámku událo, vypravovat.

„O tom všem vím," odpověděl koník, „a proto jsem tě sem přivedl, abys princeznám pomohl. Zítra časně zrána sem přijď, a já ti ostatní povím."

S velkou radostí běžel Bajaja k zámku, a mnohý mu to mohl za zlé mít, že je tak veselý; ale naštěstí ho nikdo neviděl. Celý den nevyšel z pokojů královských dcer a všelicos vymýšlel, aby je potěšil a rozveselil.

Druhý den ráno ještě za soumraku byl již u skály. Koník ho přivítal a řekl: „Nyní zdvihni kámen pod mým žlabem, a co tam nejdeš, to vyndej."

Bajaja ochotně poslechl a vyndal z díry, která pod kamenem skryta byla, velkou truhlu. Koník mu poručil, aby ji otevřel, a když i to učinil, vytáhl troje krásné šaty, meč a uzdu na koně. Jedny šaty byly červené, stříbrem a diamanty vyšívané, a co na nich pevného, bylo z lesklé ocele; k tomu bílý a červený chochol. Druhé byly celé bílé, zlatem vyšívané, a brnění a přilbice ze zlata; chochol bílý. Třetí byly světlemodré, stříbrem, diamanty a perlami bohatě vyšité; k tomu bílý a modrý chochol. Ke všem

třem šatům byl jediný meč, jehož pochva se drahým kamením jen svítila, tak jako uzda koně.

„Ty troje šaty jsou tvoje, napřed ale vezmi ty červené.“

Bajaja se přistrojil, připjal si meč a uzdu hodil koni přes hlavu.

„To ti povídám, nesmíš se bát a ze mě slézt. Jen sekej do té potvory a spolehni na svůj meč," přikazoval koníček, když vyjížděl ze skály.

Zatím bylo v zámku smutné loučení a zástup lidí vyprovázel ubohou Zdoběnu z města. Již byli nedaleko osudného místa, princezna slezla, a když viděla, že má jít ke skále, padla v mdlobách na zem.

Tu letí zdáli kůň a na něm sedí rytíř s červeným a bílým chocholem. Když přijel až k nim, poručil, aby odešli i s princeznou a jeho nechali samotného. S jakou radostí každý ten rozkaz vyplnil, to si můžeme pomyslet; ale princezna nechtěla odejít, chtěla se dívat, jaký to vezme konec.

Sotva se přiblížili, skála se s velkým lomozem otevřela a devítihlavý drak vylezl ven, ohlížeje se po své kořisti. Tu přiskočí na koníku Bajaja, vytáhne meč a jedním rázem utne tři hlavy. Drak se svíjel, plil oheň a házel sebou, až z něho jed široko daleko stříkal, ale princ toho nedbal, sekal, až mu všech devět hlav usekal, a to ostatní dodělal koník kopyty.

Když drak zahynul, obrátil se princ a ujížděl, odkud přijel. S podivením hleděla za ním Zdoběna, ale vzpomněla si, že bude otec čekat, a proto se rychle k zámku s celou družinou obrátila. Nelze vypsat otcovu radost, když viděl dceru živou, a radost sester, že snad i ony uniknou hrozným obludám. Bajaja také přiběhl a pořád ukazoval, aby věřily, že se všechno v dobré obrátí. Ač měly strach před druhým dnem, přece byly veselejší a s Bajajou hovořily.

Druhý den se vydala k dračí sluji Budinka. Tak jako první den sestře, vedlo se i jí. Sotva na místo přijeli, objevil se rytíř s bílým chocholem a začal se statečně s osmnáctihlavým drakem statečně potýkat, až potvora zdechla. Potom ujel jako první den. Když se princezna do zámku vrátila, litovali všichni, že udatnému rytíři svou vděčnost prokázat nemohou.

„Já vím, sestry," řekla Slavěna, když byly pohromadě, „vy jste rytíře neprosily. Ale já před něho kleknu a tak dlouho budu žádat, aby se mnou šel, až to učiní."

„Co se směješ, Bajajo?" ptala se Zdoběna, když viděla usmívající se tvář němého. Ale Bajaja začal skákat po pokoji a dával na srozuměnou, že se těší na toho rytíře.

„Blázne, ještě tu není," odpověděla Zdoběna.

Třetí den došlo na Slavěnu, ale tentokrát s ní jel i sám pan král. Srdce se nebohé hrůzou třáslo, když pomyslela, nepřijde-li vysvoboditel, že bude draku dána. V tom okamžení strhl se radostný křik, že se blíží rytíř s modrým a bílým chocholem na stříbrné přilbici. Tak jako první dva draky, zabil Bajaja i třetího, ač on i kůň mdlobou div neklesli. Tu k němu přistoupil král i Slavěna a prosili, by s nimi do hradu jel, což on nikterak učinit nechtěl. Slavěna před ním klekla a prosila tak snažně, tak libě, že princi srdce tlouklo. Vtom sebou koník trhl a rytíř byl tentam.

Smutna, že se nemůže svému vysvoboditeli odměnit, vracela se Slavěna s otcem domů. Všichni mysleli, že teď konečně přivedou rytíře, ale naděje opět zklamala.

Nějaký čas byli všichni šťastni. To ale netrvalo dlouho, a nastal jim nový zármutek. Vládce sousední země vyhlásil králi válku. Král hned sezval na zámek knížata a pány z celého království a poprosil je o pomoc. Za odměnu jim slíbil své tři dcery. Nikdo z panstva pomoc neodmítl a všichni přísahali králi věrnost. Země se začala chystat k boji. Když nastal ten osudný den, král se rozloučil s dcerami a přikázal Bajajovi, aby na vše dohlédl. Potom se postavil do čela svého vojska a za zvuků trub a píšťal vyjel do boje.

Bajaja byl slova králova poslušen, na vše dohlížel, ale přece neopominul s největší ochotou o všelijaké vyražení princeznám se starat, aby se jim nezastesklo. Jednoho dne však oznámil, že stůně, a nedbaje na lékaře, který mu chtěl pomoci, povídal, že si půjde sám pro koření, které ho lépe než všecky léky vyhojí. Princezny si pomyslely, že je blázen, a nechaly ho jít. Ale Bajaja nešel na koření, to beztoho nerostlo pro jeho bolest nikde jinde než v jasných očích krásné Slavěny, šel za svým koníkem, aby se s ním poradil, má-li králi ve válce pomoci. Koník ho přivítal, poručil mu, aby oblékl bílé šaty a vzal meč, že pojedou do boje.

Boje trvaly už mnoho dní a královo vojsko sláblo, nemohouc odolat velké síle nepřítele. Čekala je poslední bitva, kde se mělo rozhodnout, kdo s koho. Celou noc dával král rozkazy a vypravil posly k dcerám s nařízením,

co se má stát, kdyby snad prohráli. Ráno se odevzdali do ochrany boží a stavěli se v šiky.

V tom okamžení zazněly trouby, zbraně začaly řinčet, střely lítat a křik a lomoz se rozléhal po širém údolí. Tu se octne mezi nepřáteli jinoch v bílých šatech zlatem vyšívaných a zlaté přilbici s bílým chocholem. Seděl na malém koni a v ruce držel ohromný meč, kterým tak rázně do nepřátel sekal, že nemyslili jináč, než že to zlý duch kyjem do nich mlátí. Tu se vzpamatovalo i královské vojsko a statnému hrdinovi po bok se postavilo. Zakrátko začali nepřátelé couvat, a když zlatý rytíř zabil jejich vůdce, rozutekli se jako stádo bez pastýře.

Zlatý rytíř byl v boji lehce na noze raněn, takže mu krev bílé roucho zbarvila. Jak to král spatřil, skočil dolů, roztrhl svůj plášť a sám mu krvavou ránu zavázal. Prosil jej, aby s ním do stanu vešel, ale rytíř mu poděkoval, bodl koně a byl tentam. Král lítostí div neplakal, že mu rytíř, kterému tolikerými díky povinován byl, již počtvrté ujel. Jako vítěz vracel se král s nesmírnou kořistí domů. S jásáním byl v hlavním městě přivítán a v zámku byly přichystány rozličné slavnosti a radovánky.

„Nuže, správce můj," oslovil král Bajaju, „jak jsi řídil náš dům, zatímco jsem byl pryč?"

Bajaja pokynul, že dobře, ale princezny se daly do smíchu a Slavěna pravila: „Musím ti žalovat, otče, na tvého správce, neboť je neposlušný. Začal stonat, náš lékař chtěl mu dát lék, on ale pravil, že si půjde sám pro koření. Šel, a nepřišel až za dva dni, celý chromý a churavější, než byl dříve."

Král se na Bajaju obrátil, ten však se usmál a zatočil na patě, jako by ukazoval, že mu pranic neschází. Když slyšely princezny, že jejich osvoboditel opět otci v boji pomohl, nerady svolily k tomu, stát se manželkami knížat, neboť se domnívaly, že by mohl přece ten udatný rytíř pro některou z nich přijít. Nevěděla žádná, je-li hezký nebo ne, protože mu do tváře neviděly, ale každá si jej malovala jako anděla.

Král byl na rozpacích, jak to má s odměnou vyvést. Každý z knížat mu pomáhal ze všech sil a všichni se ve válce statečně drželi. Komu dcery dát? I vymyslel si jeden prostředek, kterým by všem vyhověl.

„Přátelé milí!" pravil knížatům, „Řekl jsem, kteří mně nejvíce v té válce pomáhat budou, těm že svoje tři dcery za manželky dám. Vy jste mi ale všichni věrně pomáhali, a proto chci takto učinit, abych žádnému neukřivdil. Postavíte se do řady a moje dcery shodí z balkonu dolů každá zlaté jablko; ke komu se jablko dokutálí, ten se stane manželem té princezny. Jste s tím spokojeni?"

Všichni svorně souhlasili. Nakonec musely svolit i princezny, aby otce nezahanbily. Skvostně se přistrojily, každá vzala do ruky zlaté jablko a šla na balkon, pod nímž stáli v řadě knížata a páni. Mezi diváky zrovna u samých nápadníků stál Bajaja. Nejdřív hodila jablko Zdoběna; kutálelo se, kutálelo, a zrovna k nohám němého. Ale Bajaja se uhnul, a ono se dokoulelo k jednomu hezkému knížeti, který je s radostí zdvihl a ze řady vystoupil.

Poté hodila Budinka, a jako předtím kutálelo se i druhé jablko k nohám Bajajovým; ale ten je zase tak šikovně odmrštil, že se zdálo rovnou cestou běžet k druhému urostlému pánovi, který je zdvihl a s toužebností k balkonu na hezkou nevěstu pohlédl. Nakonec házela Slavěna; ale tentokrát se Bajaja jablíčku neuhnul, nýbrž je s radostí zdvihl, běžel nahoru, před princeznou klekl a její ruku líbal. Ale ona se mu vytrhla, běžela do svého pokoje a hořce plakala, že si musí vzít němého.

Král se zlobil, knížata reptala, ale co se stalo, stalo se a nedalo se napravit. Nato byla hostina a po hostině přišlo rytířské klání, při kterém měla dávat ceny jedna nevěsta. Při hostině seděla Slavěna jako zaražená a slova nepromluvila; ženicha Bajaju nebylo vidět a král myslel, že snad pohněván utekl. Všichni nebohou litovali. Chtěli ji trochu rozveselit, a tak prosili, aby ona ceny rozdávala.

Slavěna konečně svolila. Již seděli páni okolo zábradlí, již se sokové potýkali a jeden druhého přemáhal, když tu oznamuje hlásný, že před branami stojí rytíř na koni a žádá, aby byl ke hře připuštěn. Král kynul, že ano. Tu vjede na kolbiště rytíř v modrém, na stříbrné přilbici bílý a modrý chochol. Princezny málem vykřikly, když viděly postavu a koně statného vysvoboditele. Rytíř se poklonil paním a začal se s knížaty potýkat. Jednoho po druhém překonal a zvítězil. Slavěna sešla k němu a nesla zlatý pás. Rytíř se před ní na kolena snížil a ona mu pověsila na krk pás, který sama vyšívala. Ruce se jí třásly a tváře jí hořely. Nevěděla, zdali slunce tak pálí, anebo ohnivé zraky krásného rytíře. Sklopila oči a zaslechla sladká slova: „Nevěsto krásná, ještě dnes tě uhlídám."

Král a obě nevěsty sešli dolů, aby rytíře zadrželi a za vše se mu odsloužili. Ale on políbil v letu Slavěně ruku a zmizel. Ta myslela na slova, která jí pošeptal. Zase byly hody, jen Slavěna seděla ve svém pokoji a nechtěla mezi hosty.

Svítil měsíc a od skály nesl koník naposled svého pána. Když ho donesl až k zámku, skočil Bajaja dolů, políbil ho na krk a lysinu a koník mu zmizel z očí. Nerad ztratil rytíř věrného přítele, ale čekala ho sladší náhrada.

Slavěna seděla ve svém pokoji a myslela, že již sotva rytíř přijde; tu otevře komorná dveře a povídá, že chce Bajaja s princeznou mluvit. Slavěna neodpověděla a hlava jí klesla na polštář. Vtom ji někdo vezme za ruku, ona zvedna hlavu a vidí před sebou krásného hrdinu, svého vysvoboditele.

„Hněváš se na svého ženicha, že se před ním skrýváš?" zeptal se Bajaja.

„Proč se mě na to ptáš, vždyť nejsi můj ženich," šeptala Slavěna.

„Jsem, má milá, před tebou stojí němý Bajaja, který ti kytky vázal, od smrti vysvobodil tebe i tvé sestry a otci v kruté válce pomohl. Já jsem tvůj ženich!"

Za hodnou chvíli potom rozlítly se dveře u hodovní síně a do nich vešla princezna Slavěna s rytířem v bílém šatu a zlaté přilbici. Představila ho otci jako svého ženicha, němého Bajaju! Královský otec se radoval, hosté se divili a sestry po očku hleděly. Teprve potom nastalo pravé veselí a pilo se na zdraví snoubenců až do bílého rána.

Po svatbě odjel Bajaja se svou Slavěnou, aby se podíval k rodičům. Ale jak se ulekl, když viděl celé město černým suknem potažené. Hned se ptal, co to znamená, a doslechl se, že umřel mladý král. Pospíchal k zámku, aby rodiče své potěšil, což se opravdu jen jemu podařit mohlo, neboť měli i jeho za nebožtíka, když o něm tak dlouho neslyšeli. Zase se navrátila do zámku radost, černé sukno nahradilo červené. Bajaja se stal králem a žil se svou manželkou šťastně až do smrti.

Řemeslo má zlaté dno

Žil kdysi jeden král a ten si jednoho dne vyjel se ženou a dcerkou na moře. Když se vzdálili od břehu, zadul vichr a odnesl loďku na širé moře. Po několika dnech přistáli v cizí zemi, o které zhola nic nevěděli a nikoho tam neznali. Král se styděl přiznat, co je zač, a protože neměl u sebe peníze a neznal žádné řemeslo, nechal se najmout k dobytku za pastýře.

Několik let se tak protloukali a z královské dcery zatím vyrostla krásná dívka. Jednou ji zahlédl syn krále, který v té zemi panoval. Mohl na ní oči nechat a usmyslel si, že žádnou jinou za ženu nechce. Otec a matka mu domlouvali, že se přece nemůže oženit s pastýřovou dcerou, ale nebylo to nic platné. Královic nechtěl o jiné dívce ani slyšet.

Když král viděl, že syn jinak nedá, poslal jednoho ze svých rádců za pastýřem, aby mu oznámil, že si královic přeje jeho dceru za ženu.

„Jaké řemeslo zná králův syn?" zeptal se pastýř.

„Proč by měl znát nějaké řemeslo?" podivil se rádce. „Vždyť má všechno, na co si jen pomyslí."

„Jestli nezná žádné řemeslo, tak mu svou dceru nedám," trval na svém pastýř.

Rádce se vrátil ke králi a vyřídil pastýřovu odpověď.

Nastalo veliké divení. Každému se zdálo, že by si měl pastýř pokládat za čest, že si chce jeho dceru vzít královic.

Král poslal k pastýři druhého rádce, ale i ten se vrátil s nepořízenou.

Královici nezbylo, než aby se poohlédl po nějakém řemesle. Chodil od krámku ke krámku a přihlížel, jak mistři pracují. Občas se poptal, jestli by ho vzali do učení. Což o to, vzali by ho, ale všude žádali, aby u nich zůstal alespoň rok. Tak dlouho však králevic nechtěl čekat.

Nakonec došel ke krámku, kde pletli rohože a košíky.

„Za jak dlouho mě vyučíš svému řemeslu?" zeptal se králevic.

„Jestli jsi šikovný, tak za pár týdnů," odpověděl košíkář.

„Dobrá," souhlasil králevic a hned se pustil do práce. Byl pilný a šikovný, a tak brzy dokázal uplést pěknou rohožinu. Poslal ji pastýři se vzkázáním, že takovému řemeslu se vyučil králův syn.

Pastýř vzal rohožinu, prohlédl ji ze všech stran a potom se zeptal: „Zač to stojí?"

„Za čtyři groše," řekl rádce.

„To není špatné," mínil pastýř. „Čtyři groše dnes, čtyři zítra a čtyři pozítří. To už máme dvanáct grošů. Kdybych já byl alespoň toto řemeslo znal, nemusel jsem pást dobytek."

Potom začal vypravovat, kdo je a jak se do jejich země dostal. Král se zaradoval, když mu to rádce vyřídil. Přece jen se mu víc zamlouvalo, že si jeho syn vezme dívku z královského rodu. Hned začali chystat svatbu. Jedli, pili, hodovali několik dní. Potom rodiče mladé nevěsty nasedli na loď, kterou dostali darem, a vrátili se za moře do svého království.

Čert a Káča

V jedné vesnici žila děvečka jménem Káča. Měla pěknou chaloupku, zahradu a k tomu ještě pár zlaťáků, ale i kdyby celá v zlatě seděla, nebyl by si ji ani ten nejchudší chasník vzal, protože byla zlá a hubatá jako čert. Krásy taky moc nepobrala, a tak zůstávala na ocet, i když už jí bylo pomalu čtyřicet let.

Jak to na vesnicích bývá, každou neděli odpoledne vyhrávala v hospodě muzika. Jak se ozvaly dudy, hned byl plný sál omladiny. Mezi prvními se hrnula Káča. Jakživa ji nikdo nevzal do kola, ale ona beztak ani jednu neděli nevynechala.

Jednou tak zase uháněla na zábavu a přitom si říkala: „Je to k zlosti! Tak stará jsem a ještě jsem s mládencem netancovala. Dneska bych šla do kola třeba s čertem!"

Káča si sedla ke kamnům a závistivě pozorovala, který kterou bere k tanci. Vtom vešel do sálu cizí pán v mysliveckém obleku. Sedl si za stůl a dal si nalít. Když mu hostinská přinesla pivo, pán je vzal a šel připít Káče. Káča se chvilku upejpala, ale nakonec se ráda napila. Potom myslivec hodil muzikantům dukát a vykřikl: „Hoši, sólo!"

Tanečníci se rozestoupili a pán vyzval Káču k tanci.

„Kýho šlaka, kdopak to asi je?" ptali se staří na lavici. „A že se zakoukal zrovna do naší Káči?"

Hoši se poškleblují a děvčata si schovávají hlavu jedna za druhou, aby Káča neviděla, že se jí smějou. Ale Káča neviděla nic. Byla ráda, že tancuje. I kdyby se jí celý svět smál, nic by si z toho nedělala.

Celé odpoledne, celý večer tancoval myslivec jen s Káčou. Kupoval jí všelijaké dobroty, a když přišel čas jít domů, vyprovázel ji po vsi.

„Kéž bych mohla do smrti tancovat tak jako dneska," povzdychla si Káča, když se měli rozejít.

„Jestli to opravdu chceš, tak pojď se mnou."

„A kde zůstáváte?"

„Chyť se mě kolem krku a uvidíš."

Káča ho chňapla, ale v tom okamžení se myslivec proměnil v čerta a už s ní letěl k peklu. U vrat se zastavil a zabouchal. Když čerti viděli, že je jejich kamarád celý upachtěný, chtěli mu ulehčit. Ale Káča se držela jako klíště a živou mocí se nedala odtrhnout. Chtě nechtě se musel čert s Káčou na krku vydat za Luciferem.

„Koho si to neseš?" zeptal se ho Lucifer.

Čert mu vypověděl, jak chodil po zemi a zaslechl Káčino lamentování.

„Chtěl jsem ji jen trochu vystrašit. Nevěděl jsem, že se mě nebude chtít pustit."

„Dobře ti tak," vyjel na něho Lucifer, „máš poslouchat, co říkám. Než si s někým začneš, musíš znát jeho smýšlení. Teď se mi kliď z očí a hleď, ať se té ženské rychle zbavíš."

Mrzutý čert se vrátil na zem. Sliboval Káče hory doly, když se ho pustí, proklínal ji, ale nebylo to nic platné. Káča se ho držela, jako by mu ji na záda přišili.

Celý utrmácený dorazil na louku, kde mladý ovčák, zabalený v huňatém kožichu, pásl ovce.

„Proč tu osobu vláčíš na zádech, člověče?" zeptal se čerta, který už zase na sebe vzal lidskou podobu.

„Považ, co se mi stalo," spustil čert. „Jdu si svou cestou a tu mi ta ženská zničehonic skočí na krk a nechce se mě za živý svět pustit. Chtěl jsem ji odnést do nejbližší vesnice a tam se jí nějak zbavit, ale nejsem s to, už se mi podlamují nohy."

„Počkej chvilku, kamaráde," řekl ovčák. „Já ti trochu pomůžu. Odnesu ji aspoň na půl cesty. Potom zase musím pást."

„To budeš hodný," liboval si čert.

„Hej ty, slyšíš? Chyť se mě!" křikl ovčák na Káču. Káča se pustila čerta a chytla se huňatého kožichu.

Milý ovčák měl co nést. Však ho to taky brzy omrzelo. Přemýšlel, jak by se Káči zbavil.

Když přišel k rybníku, napadlo ho, že by tam tu neodbytnou osobu mohl hodit. Ale jak? Nejlepší by bylo sundat Káču i s kožichem. Opatrně vyndal jednu ruku, Káča nic. Vyndal druhou ruku, Káča zase nic. Potom odepnul první pentličku z knoflíku, druhou, třetí a žbluňk – Káča leží v rybníce i s jeho kožichem.

Čert zatím seděl na mezi a přemýšlel, jestli už má vyrazit za ovčákem. Vtom ho uviděl, jak se vrací s mokrým kožichem na rameni. To se mu ulevilo, když se dozvěděl, jak to dopadlo s Káčou.

„Moc ti děkuju," řekl čert. „Prokázals mi velkou službu. Kdyby tě nebylo, snad bych se s tou ženskou vláčel do soudného dne. Jednou se ti bohatě odměním. Abys věděl, komu jsi v nouzi pomohl, povím ti to – jsem totiž čert."

Jen to dořekl, zmizel. Ovčák zůstal stát jako omámený, ale pak si řekl: „Jestli jsou všichni čerti tak hloupí, není třeba se jich bát."

V zemi, kde žil náš ovčák, panoval mladý kníže. Nebyl to dobrý vládce. Staral se jen o to, jak by se povyrazil. Dny trávil v samých radovánkách a lenošení, noci prohýřil s kamarády.

Knížectví místo něho spravovali dva správcové, kteří nebyli o nic lepší než jejich pán. Lidé neznali nic než dřinu. „Kéž by si vás vzal čert," proklínali rozmařilé pány.

Kníže si jednoho dne povolal hvězdáře, aby mu pověděl, co ho čeká. Hvězdář zkoumal ve hvězdách a potom řekl: „Odpusť, knížecí milosti, ale tobě i tvým správcům hrozí velké nebezpečí."

„Mluv," pobídl jej kníže. „Ale dej si pozor. Jestli se tvá slova nevyplní, přijdeš o hlavu."

„Poslyš tedy," začal hvězdář. „Až bude čtvrt měsíce, přijde si pro oba správce čert. A až bude měsíc v úplňku, přijde si pro tebe."

„Do vězení s tím šejdířem!" rozkřikl se kníže. Ale byla v něm malá dušička. Hvězdářova slova mu zněla v uších a poprvé se v něm ozvalo svědomí! Správci byli strachy bez sebe. Odjeli na svá panství, tam se zatarasili ze všech stran a s obavami čekali, co se bude dít. Kníže se změnil k nepoznání. Začal spravovat zemi, jak se sluší a patří, a doufal, že se krutý osud nenaplní.

Ovčák o těch věcech neměl ani zdání. Den za dnem pásl svoje stádo a nestaral se pranic, co se ve světě děje.

Jednoho dne se znenadání před ním objevil čert a praví: „Přišel jsem, ovčáku, abych se ti odměnil za tvou službu. Až bude čtvrt měsíce, mám odnést do pekla dva bývalé správce země, protože okrádali chudý lid a knížeti zle radili. Ale zdá se, že se polepší, nechám je být a přitom se ti odměním. Až nastane ten a ten den, přijď k zámku prvního správce, kde bude množství lidu. Až se strhne křik, služebníci otevřou dveře a já pána pryč povedu, přistup ke mně a řekni: ,Odejdi, sice bude s tebou zle!' Já tě poslechnu a půjdu. Za odměnu si vezmi dva pytle zlata. Když ti je správce nebude chtít dát, řekni jen, že mě zavoláš zpátky. Potom spěchej k druhému zámku, a až i druhého správce zachráníš, žádej stejný plat. Ale s penězi dobře hospodař a užívej jich k dobrému. Až bude měsíc v úplňku, musím odnést samotného knížete. Toho nezkoušej vysvobodit, sice bys musel vlastní kůži nastavit."

Ovčák si pamatoval každé slovo. Když bylo čtvrt měsíce, vypověděl službu a šel k zámku prvního správce. Přišel tam právě včas. Stály tu zástupy lidí a čekaly, až čert ponese správce do pekla. Vtom se začal ze zámku ozývat zoufalý křik, dveře se otevřely a černý táhne ven zsinalého, napůl mrtvého správce. Ovčák vystoupil z davu, vzal pána za ruku, čerta odstrčil a křikl: „Odejdi, sice bude s tebou zle!" V tom okamžení čert zmizel a šťastný správce začal líbat ovčákovi ruku a ptal se, co žádá za odměnu. Když ovčák řekl, že dva pytle zlata, bez meškání mu je dal. Ovčák pospíchal k druhému zámku. Tam se všechno do puntíku opakovalo.

Rozumí se samo sebou, že se kníže brzy o ovčákovi dověděl. Poslal pro něho vůz se čtyřmi koňmi, a když ho přivezli, snažně jej žádal, aby se nad ním smiloval a z drápů pekelných ho vysvobodil.

„Nemohu vám to slíbit, pane kníže," řekl ovčák, „jste velký hříšník. Ale kdybyste se chtěl doopravdy polepšit a spravedlivě vládnout, jak se na knížete sluší a patří, pokusil bych se o to, i kdybych měl jít do pekla místo vás."

Kníže všechno slíbil a ovčák odešel s tím, že se v ten a ten den vrátí.

Se strachem a hrůzou očekávali lidé úplněk měsíce. Jak to zprvu knížeti přáli, tak ho nyní litovali, neboť od chvíle, co se polepšil, nemohli si přát hodnějšího pána.

Dny utíkají, ať je člověk počítá s radostí anebo s žalostí. Než se kníže nadál, byl tu den, kdy se měl se vším, co měl rád, rozloučit. Kníže oblečený v černých šatech, v obličeji bílý jako křída seděl a čekal, co se bude dít. Najednou se otevřou dveře a čert stojí před ním.

„Stroj se, pane kníže, tvoje dny jsou sečteny, jdu si pro tebe."

Kníže neřekl ani slovo a kráčel s čertem na nádvoří, kde stálo nesmírné množství lidstva. Vtom se davem prodere ovčák a už zdáli volá: „Uteč, čerte, sice bude s tebou zle!"

„Jak se opovažuješ mě zdržovat? Nevíš, co jsem ti řekl?" pošeptal mu čert.

„Blázne, mně nejde o knížete, ale o tebe. Káča je živá a zdravá a ptá se všude po tobě."

Jakmile čert uslyšel o Káče, nechal knížete knížetem a byl tentam. Ovčák se v duchu smál, jak toho černého panáčka napálil.

Zlato, které dostal od správců, rozdal chudým a nastoupil do služby ke knížeti. Kníže z něho udělal svého prvního rádce. A neprohloupil. Ovčák mu moudře a upřímně radil, aby se všem v knížectví dobře žilo.

O princezně se zlatou hvězdou na čele

Byl jednou jeden král a královna, a ta královna měla na čele zlatou hvězdu. Manželé se vroucně milovali, ale jejich štěstí nemělo dlouhého trvání. Královna záhy zemřela a zanechala králi novorozeně. Král si zoufal a dlouho se nechtěl na dítě, které bylo příčinou matčiny smrti, ani podívat. Nakonec v něm přece jen zvítězila otcovská láska. Malá princezna, která dostala jméno Lada, byla neobyčejně spanilá a milá dívenka. Jen ona dokázala krále potěšit. Uběhlo několik let od chvíle, kdy královna zemřela, a dvořané začali krále nutit, aby se znovu oženil.

„Než královna naposledy vydechla, slíbil jsem jí, že kdybych se měl znovu oženit, najdu si ženu, která se jí ve všem bude podobat," řekl král. „Budu tedy takovou ženu hledat. Když ji nenajdu, nikdy víc se již neožením."

Král svěřil Ladu pečlivým chůvám a zem oddanému správci a vyjel do světa hledat si nevěstu.

Projel mnohá knížectví a království, procestoval půl světa a viděl panny, které byly krásné jako obrázek. Ale žádná neměla na čele zlatou hvězdu, žádná se nepodobala nebožce královně.

Když se král s nepořízenou vrátil domů, princezna

Lada mu běžela naproti. Král na ni udiveně hleděl. Bylo mu, jako by se díval na svou královnu. Ta podoba! Dokonce ani zlatá hvězda na čele nechyběla. Krále znovu zaplavily staré vzpomínky a rozhodl se, že si Ladu vezme za ženu. Šel tedy za dcerou a všechno jí řekl. Lada se zhrozila, ale dělala, jako by otcův návrh měla za pouhý žert.

„Vezmu si tě, milý otče, když mi koupíš šaty ušité z křídel zlatohlávka.“

„Koupím ti všechno na světě, jen když vyplníš mou prosbu,“ řekl král a hned rozhlásil, že kdo by mu takové šaty přinesl, dostane bohatou odměnu.

Co by lidé pro peníze neudělali? Za několik dnů byly šaty na zámku a král je odnesl dceři. Princezna chtěla získat čas, a tak si přála ještě šaty zlaté jako slunce. I ty brzy dostala. Nakonec chtěla šaty modré jako nebe a na nich hvězdy. Potom že si otce vezme za muže.

Netrvalo dlouho a král jí donesl nádherné nebesky modré šaty posázené diamanty, které se třpytily jako hvězdy. Nedalo se nic dělat, Lada musela dát otci slovo. Ale velice se tím trápila a plakala.

V noci se jí pak zdálo, že se u ní v ložnici objevila krásná paní se zlatou hvězdou na čele a položila jí na postel lehounký bílý závoj.

„Jsem tvoje matka,“ řekla ta paní, „a vím, co tě trápí. Jdu ti na pomoc. Zítra si dej ušít prosté šaty. Oblékni si je a potom si přehoď závoj utkaný z mlhy přes hlavu a prchni. Dokud ho budeš mít na sobě, nikdo tě neuvidí. Kvůli otci se netrap, já se o něho postarám,“ dodala a zmizela.

Ráno opravdu ležel na posteli závoj. Lada jej pečlivě ukryla a poručila komorné, aby jí dala udělat myší kožíšek dlouhý až na paty. Komorná si myslela, že princezna chystá nějaké překvapení. Nikomu nic neřekla a sama se o kožíšek postarala. Večer ho přinesla princezně.

Na zámku vrcholily přípravy na svatbu. Všude byl čilý ruch a shon. Ale princezna neměla na vdavky ani pomyšlení. Rychle svázala do uzlíku troje skvostné šaty, které dostala od otce, oblékla si myší kožíšek, přes hlavu přehodila závoj a tiše se vytratila ze zámku.

Šla, kam ji oči vedly, až přišla k velkému městu, v němž se na vršku tyčil královský zámek. Lada si umínila, že tam půjde poprosit, aby ji vzali do služby. Uzlík a kouzelný závoj položila pod kámen u studánky. Z vody na ni vystrčila hlavu rybička.

„Nikomu to neříkej, rybičko, a dobře mi můj poklad opatruj," usmála se princezna a zamířila k zámku.

Cestou si umazala obličej popelem, plachetku na hlavě si stáhla do čela, aby zakryla zlatou hvězdu, a pořádně se zabalila do myšího kožíšku. Čeládka v zámku se dala do smíchu, když uviděla to podivné stvoření. Chtěli Ladu odehnat, ale starý kuchař se nad ní ustrnul a vzal ji k sobě do služby za kuchtičku.

Zem, v níž se to všechno seběhlo, patřila králi, který měl jediného syna; říkali mu Hostivít. Byl to hezký a hodný mládenec a starý král už by mu byl rád předal korunu, jen kdyby si Hostivít našel manželku. Ale princ se do ženění nehrnul. Říkal, že ještě nenašel tu pravou.

Brzy po tom, co Lada nastoupila do služby v královské kuchyni, se slavil králův svátek. Hostiny a všelijaké radovánky měly trvat celé tři dny. Hned první večer Lada poprosila kuchaře, aby se mohla podívat do sálu. Byla zvědavá na prince, o němž slyšela jen samou chválu.

„Kam by ses hrnula?" obořil se na ni kuchař. „Vždyť vypadáš jako strašidlo. Ještě tě někdo z pánů uvidí a řekne si, že máme povedené služebnictvo."

„Nebojte se," řekla kuchtička. „Zalezu někam do koutečka, nikdo mě neuvidí."

Kuchař o tom nechtěl ani slyšet, ale když kuchtička tolik prosila, nakonec svolil. Lada šla rovnou cestou ke studánce. Zdvihla kámen a vyndala z uzlíčku šaty z křídel zlatohlávka. Shodila plachetku a myší kožíšek, pěkně se umyla a oblékla do skvostných šatů.

Když se objevila v sále, všichni na ní mohli oči nechat. Kdo je ta neznámá krasavice? lámali si hlavu. A kde se tu tak znenadání vzala?

„Kdo jste?" zeptal se princ Hostivít.

„Neptejte se. Zatím vám to nemůžu povědět," řekla Lada a podívala se na prince tak prosebnýma očima, že víc nenaléhal.

Vtom začala hrát hudba a Hostivít vyzval Ladu k tanci. Tančil jen s ní, na jinou ani nepohlédl. Zábava ještě nebyla u konce, ale Lada se omluvila, že už musí jít. Princ ji zdržoval, ale nebylo to nic platné. Lada se rozloučila, ale slíbila, že druhý den přijde zas. Rychle doběhla ke studánce, pozdravila rybičku, převlékla se a pospíchala do kuchyně. Však už byl nejvyšší čas.

Každé ráno komorník hlásil, co se má princi uvařit k snídani. Ale ráno po plese přišel celý zmatený a povídá: „Nevím, co se pánovi přihodilo. Tak veselého jsem ho ještě nikdy neviděl. Prozpěvuje si, tancuje z pokoje do pokoje, a když jsem se ptal, co bude chtít k snídani, řekl, že je mu to jedno."

„Asi se mu včera nějaká kněžna zalíbila a dnes na ni vzpomíná," mínil dobrácky kuchař.

„Máš pravdu, starý, byla tam jedna krasavice. Nikdo neví, co je zač. S tou princ protancoval celou noc a mohl na ní oči nechat."

Kuchtička zrovna něco míchala. Honem sklonila hlavu, aby nebylo vidět, jak se červená. Dělala, že si nevšímá, co komorník povídá, ale přitom jí neuteklo ani slovo. Celý den dělala kuchaři pomyšlení, jen aby ji zase večer pustil.

Jakmile byla s prací hotova, uháněla ke studánce. Oblékla si šaty sluneční barvy a pospíchala k zámku. Princ už ji netrpělivě vyhlížel. Než se nadál, stála krásná neznámá uprostřed sálu. Tentokrát se zdržela o trochu déle. Nemohla odolat prosbám sličného prince. Všechny paní jí záviděly skvostné šaty a princovu přízeň.

Když dorazila ke studánce, bylo skoro ráno. Honem se převlékla a běžela k zámku.

„Podruhé tě nikam nepustím," bručel starý kuchař. Kuchtička ho prosila za odpuštění a honem se pustila do práce. Točila se po kuchyni jako na kolovrátku a kuchař brzy na svůj hněv zapomněl. Potom přišel komorník a řekl, že princ nebude snídat, že sedí v lenošce, oči má zavřené a mlčí jako hrob.

„Nevím, nevím, ta neznámá paní mu snad učarovala," dodal a zase pospíchal za svým pánem.

„Hej, kuchtičko," zavolal na Ladu kuchař, „co tomu říkáš? Tys ji přece taky viděla."

„Ovšemže viděla," odpověděla kuchtička. „Ale já tomu tak nerozumím. Mně se líbila a princi snad také, neboť byl pořád s ní." Lada naštěstí stála u rožně, a tak nebylo vidět, že se červená.

Večer si opět vymohla dovolení, aby se mohla jít podívat do sálu. Tentokrát si oblékla nebesky modré šaty s diamanty. Ale do zámku šla s těžkým srdcem, protože věděla, že se musí se svým milovaným princem rozloučit.

Nechtěla ještě prozradit, kdo je; bála se otcova hněvu. Umínila si, že bude mlčet, dokud se nedozví, jaké má otec úmysly.

Hostivít čekal s očima upřenýma na dveře. Vtom se vedle něho ozval milý známý hlas: „Proč jsi tak smutný, můj princi?" Lada tam stála v nádherných šatech, na nichž se leskly diamantové hvězdy. Byla tak krásná, až to člověku bralo dech.

Tu noc nebylo Ladě ani princi do tance. Chodili spolu ze síně do síně a tiše rozmlouvali o své lásce. Jak se blížilo ráno, byli čím dál smutnější.

„Zůstaň u mě a staň se mou ženou," prosil princ, když v poslední síni, která byla obložena bílým mramorem a ozdobena čerstvými květinami, usedli na pohovku.

„Nepros, milý, činíš mi těžké srdce," povzdychla si Lada. „Vždyť víš, že zatím tvou prosbu nemohu vyplnit. Ale abys věřil, že i já tebe vroucně miluji, vezmi si tento prsten, kterým se ti navěky zasnubuji."

Hostivít přijal s díky drahý prsten, potom stáhl z prstu svůj prsten s diamanty a podal ho Ladě.

„Teď jsme zasnoubeni," řekla Lada. „Já jsem tvá, ty můj. Kdo ti tvůj prsten nazpátek přinese, tomu věř. Bude to posel, od něhož dostaneš vzkaz, jak brzy se shledáme."

Ještě chvíli se líbali a rozmlouvali a potom Lada zmizela. Marně ji Hostivít hledal po celém zámku, marně naříkal. Lada už byla u studánky. S těžkým srdcem svlékla šaty a pospíchala do zámku. Tam bylo boží dopuštění. Komorníci běhali po schodech sem a tam jako pominutí.

„Co to má znamenat?" zeptala se Lada.

„Celou noc někde pobíháš a pak nevíš, co se děje," zlobil se kuchař. „Cožpak jsi neslyšela, že náš princ je na smrt nemocný? Tu čarodějnici nám byl čert dlužen. Jistě ho uhranula."

Vtom přiběhl sloužící s jakýmsi kořením, že se má honem z něho princi uvařit čaj. Lada mu vytrhla koření z ruky a už stála u ohně. Kuchař někam odběhl, a když se vrátil, kuchtička měla odvar hotový a chystala se s ním za princem. „Tam nemůžeš," okřikl ji kuchař. „Vždyť by našeho prince mohl z tebe trefit šlak."

„Nic se nebojte," řekla Lada, „neuvidí mě. Jen vyběhnu nahoru, abyste nemusel po schodech, a dám to některému komorníkovi." Cestou vytáhla ze záňadří prsten a hodila ho do koflíku. Koflík postavila v pokoji na stůl a pospíchala zpátky do kuchyně.

Sotva princ odvar z koření vypil a na dně spatřil prsten, vzbouřil celý zámek a začal vyzvídat, kdo ten nápoj vařil. Kuchař musel s pravdou ven, že to byla kuchtička. A Lada musela za princem. Zdráhala se, ale sloužící ji popadli a dovlekli do princova pokoje. Lada padla na kolena a sklonila hlavu, aby jí princ neviděl do tváře.

„Tys dala ten prsten do koflíku?" tázal se princ.

„Milostivý pane," pravila Lada. Snažila se změnit hlas, aby se neprozradila. „Já o žádném prstenu nic nevím."

Lada zapírala a zapírala a princ ji nakonec propustil, ale když odcházela, bedlivě ji pozoroval. Navzdory jejímu ohyzdnému kožíšku si všiml krásné štíhlé postavy, ladné chůze a drobné nožky, kterou obyčejně nemotorná kuchtička nemívá. Vrtalo mu to v hlavě a přemýšlel, kde by ji tak nepozorovaně mohl vidět.

V tom městě se lidé rádi koupali, bohatí i chudí. V zámecké zahradě stály dvoje lázně, jedny královské, druhé pro domácí čeládku, a tam se dvakrát do týdne všichni do jednoho koupali. Byl právě den koupele. Hostivít se tajně odebral do zahrady. Došel k lázni, kde se koupávaly ženy, udělal do stěny dírku velikosti oka a vrátil se do svého pokoje. Doktoři se divili, že ráno div neumíral a teď běhá jako srnka. Hostivít jim řekl, že mu pomohlo to jejich koření.

Když nastal večer, znovu se vytratil ze zámku a zamířil k lázním. Poslední ze všech se šla koupat kuchtička. Princ přiložil oko ke zdi a zadržel dech. Dívka odložila kožíšek a stála tam jen v sukénce. Princi se rozbušilo srdce. A když kuchtička sundala z hlavy plachetku a umyla si obličej, na čele se jí zaleskla zlatá hvězda. Princ vykřikl radostí a vyběhl ze své skrýše. Lada na sebe navlékla kožíšek a chtěla utéct, ale ve dveřích se srazila s princem. Hostivít ji sevřel do náruče a vroucně políbil.

„Už mi neutečeš," usmál se blaženě. „A teď půjdeme za otcem."

„Počkej chvilku, princi, jen co se převléknu," poprosila Lada a odběhla ke studánce.

Šaty našla všechny, ale závoj chyběl a rybička ve studánce rovněž nebyla. Lada odnesla šaty do komůrky, převlékla se a potom teprve šla za princem, který ji odvedl k otci. Princezna se králi se vším svěřila a král dal synovi i jeho krásné nevěstě rád své požehnání.

V kuchyni zatím kuchař hledal kuchtičku. Vtom k němu přiběhl sloužící, že má jít k princi.

„Proč máš v kuchyni tu ošklivou kuchtičku?" obořil se na něj princ.

„Nezlobte se, pane, když ona tolik prosila, abych ji vzal do služby," řekl kuchař. „Je to moc šikovné a pracovité děvče, lepší v kuchyni nemám. Jen ten myší kožíšek kdyby svlékla a nebyla tak všetečná."

„Máš pravdu, kuchaři, ten kožíšek už nosit nebudu," zasmála se princezna. „A moc ti za všechno děkuji."

Jakmile kuchař vyšel ze dveří, hned se všichni dozvěděli, kdo se ukrýval pod myším kožíškem. Měli strach, jestli se jim mladá královna nebude mstít. Ale ta na něco takového ani nepomyslela.

Brzy nato se na zámku konaly zásnuby. Potom se Lada s Hostivítem rozjela za otcem. S bázní v srdci vyjížděla do zámku. Bála se, jak ji otec přijme. Ale zbytečně se strachovala. Král zmoudřel. Tu noc totiž, kdy Lada ze zámku prchla, zjevila se mu nebožka královna a zle mu vyčinila za jeho hříšnou lásku.

Vše bylo odpuštěno a zanedlouho se konala slavná svatba, na kterou v kraji ještě dlouho vzpomínali.

O mluvícím ptáku, živé vodě a třech zlatých jabloních

V jednom městě žil mladý, svobodný král. Jednou večer chodil po zahradě a došel až k zahradníkovu domku. Již zdaleka slyšel hlasitý hovor a smích, které se linuly z otevřeného okna. Tiše se přikradl pod okno a poslouchal.

„Když už vedeme takový bláznovský hovor," ozval se dívčí hlásek, „tak si ještě povězme, co by si každá z nás přála. Nejdřív ty, Markétko, jakožto nejstarší, pověz, co bys chtěla."

„Já?" odpověděla Markétka, „já bych si přála, aby si mě vzal královský kuchař. Ráda dobře jím, a to bych měla každý den něco z královského stolu."

„Jsi chytrá. A co by sis přála ty, Terezko?"

„Já bych si přála, aby si mě vzal královský cukrář, protože ráda mlsám sladké věci."

„Ó vy labužnické jazýčky," zvolal první hlásek, a nato se daly všechny tři do smíchu.

„Ale když jsme ti řekly, Johanko, co bychom si přály, pověz i ty nám, co bys ráda," ozvala se Markétka.

„Hned se to dovíte. Já bych si přála samého krále. Měla bych pěkné šaty, dobrá jídla i sladké cukrovinky."

Nato bylo smíchu dost a dost. Král se pod oknem také zasmál a po chvilce odešel. Když přišel domů, ptal se komorníka, co za ženské to v zahradníkově domku bydlí, a komorník řekl, že jsou to tři zahradníkovy dcery: Markétka, Johanka a Terezka. A král poručil, aby komorník druhý den ráno pro ně šel a ke králi je přivedl.

Holky leknutím celé zbledly, když přišel druhý den ráno komorník s vyřízenou, aby šly ke králi.

„Co jste vyvedly, vy nešťastnice?" ptal se jich otec. „Jestli přijdu skrze vás do nějaké hanby, půjdete mi všechny tři z očí, to vám povídám."

„Nedělejte si, tatínku, žádné starosti," odpověděla Johanka, nejhezčí, nejhodnější a také nejsmělejší ze všech. „My nic neudělaly. Král si nejspíše zamanul, abychom my teď věnce a kytky do jeho pokojů vázaly, a ne vy. To to bude, nic jiného."

Nato se děvčata slušně přistrojila a šla s komorníkem ke králi. Král se procházel po pokoji. „No, vedeš ty tři nevěsty?" pravil, když komorník s nimi vešel. „Která z vás se jmenuje Markétka?" zeptal se, když mu děvčata složila poklonu.

„Já," ozvala se Markétka a sklopila oči.

„Ty sis přála za muže mého kuchaře?"

Děvčata zůstala, jako by je šarlatem pokryl, neboť hned věděla, kam král míří. Nejvíce ze všech se zapýřila Johanka.

„Nemusíš se červenat, co je na tom? Jestli bys ráda kuchaře, máš ho mít." Při těch slovech otevřel dveře u vedlejšího pokoje a v nich se objevil kuchař.

„Ach odpusťte, milostivý králi!" prosila Markétka a klekla na zem, „to byla jen taková bláznivá řeč."

„Nu, teď se ti to vyjevilo. Což nechceš svého ženicha?"

„Inu, když to musí být, proč bych nechtěla," odpověděla Markétka, když viděla, že král nežertuje.

„Jednu jsem odbyl; kterápak z vás dvou chtěla být cukrářkou?" ptal se král zase druhých.

„Já," špitla Terezka, když viděla, že zapírání není nic platné.

Král zase otevřel dveře, vyvedl druhého ženicha a dal ho Terezce, která se nehněvala.

„A tys chtěla mě?" zeptal se Johanky a vzal ji za kulatou bradičku. „Tak se na mě podívej, zdali se ti budu líbit!"

„Netrestejte mě za to, nejmilostivější králi!" prosila Johanka. Klekla si a zvedla uslzené oči ke králi. „Byla to řeč do větru. Kdo se nadál, že posloucháte."

„Jsem rád, že jsem poslouchal; neboť jsem po půl světě nevěstu hledal a nenapadlo mě, že bych ji tak blízko najít mohl. Náhoda mě k tomu přivedla. Nuže, milá Johanko, chceš být mou královnou?"

Johanka se ještě jednou podívala králi do očí, a když shledala, že to myslí vážně, usmála se a řekla: „Ano!"

Nyní měla každá, co si přála. Ale od té chvíle, co král Johanku svou nevěstou nazval, uhnízdila se v srdcích Johančiných sester zášť. Nestačilo jim, co dostaly, a záviděly Johance její štěstí. Za několik dní se konala svatba a Johanka zahradníkovic se stala královnou. Zůstala však tak dobrá a vlídná ke každému jako dříve, a tím více ji král i lid miloval. Jen dvě duše neustále myslely na to, jak by ji o život připravily, a to byly její vlastní sestry. O tom ale neměla mladá královna ani zdání.

Časem roznesla se po zemi zpráva, že mladá královna bude maminkou. Každý se z toho radoval, nejvíce král, který se té chvíle ani dočkat nemohl. I sestry očekávaly ten den s nedočkavostí, ale z jiných příčin. Pod záminkou, jako by se bály, aby se královně nic zlého nepřihodilo, hlídaly ji neustále, ani na chvíli ji neopouštěly. Konečně královna porodila roztomilého synáčka. Žádný jiný u ní nebyl než sestry; ale ty měly již všechno přichystáno; jak se dítě narodilo, daly ho do vysmoleného koše a pustily po řece; královně ale podstrčily štěně.

Jaké bylo leknutí královo, když mu to královniny sestry vypravovaly! On však svou ženu nade vše miloval, a proto ukryl smutek hluboko do srdce a pospíšil k ní, aby ji potěšil. A Johanka měla útěchy zapotřebí. Co se o svém nešťastném porodu dověděla, nemohli ji ani k sobě přivést, strachem a bolestí padala z jedné mdloby do druhé. Teprv když k ní přišel man-

žel a těšil ji, poněkud se upokojila. To však sestry nechtěly. Myslely si, že ji dá král hned zabít.

Královna byla zase zdráva, ale od té doby neviděl ji nikdo veselou.

Musíme se podívat, co se s tím nemluvnětem na řece stalo. V sousedství krále byl bohatý kníže; neměl ženu ani děti, ale měl všeho dost. Nejmilejší byly mu lov a zahrada, ve které si člověk připadal jako v ráji. Jednoho dne se procházel po té zahradě a přišel až k řece. Tu vidí, jak se na vodě něco houpe. Když to připlulo blíž, naklonil se nad hladinu a vytáhl z vody koš a v něm novorozeně.

Kníže vzal dítě do zámku a svolal služebné, aby se o ně postaraly. Jedna ho nakrmila, druhá ušila peřinky, jiná připravila kolébku. Brzy bylo děťátko vystrojené jako jezulátko. Kníže měl z něho radost, jako by jeho vlastní bylo, a dal mu jméno Jaromír.

Za nějaký čas se kníže dověděl, co se v královském městě přihodilo, ale po dlouhém rozmýšlení si umínil, že dítě nevrátí, nýbrž že ho vychová, jak se na prince sluší a patří, a teprv až bude v letech, že mu poví, čí je, a rodičům ho navrátí. „Beztoho," řekl si, „je to nějaké nepřátelské spiknutí proti králi, a kdybych mu dítě vrátil, oni by se o něj tak dlouho pokoušeli, až by ho ze světa sprovodili. Nechám si ho zde a udělám z něho řádného muže." A tak to také udělal.

Po nějakém čase se královna opět měla stát matkou. S nesmírným strachem očekávala osudnou hodinu. Sestry měly zase koš uchystaný. Ani minutu ji neopustily, a jakmile syna porodila, položily ho do koše, pustily po vodě a místo něho podhodily štěně. Když to králi povídaly, byl jako blázen a srdce mu bolestí div nepuklo. Ale i tentokrát ženu těšil a hoře před ní skrýval. Opět se to sestrám nepodařilo, jak chtěly!

Malý synáček ve vysmoleném koši plaval zase po vodě až do knížecí zahrady. Kníže vzal nemluvně k sobě a dal mu jméno Jaroslav.

Potřetí byla královna matkou. Sestry se od ní ani nehnuly a královna tomu byla ráda. Lépe, když ony u mě budou než cizí, myslela si. Nevěděla, ubohá, jak trpký kalich jí vlastní sestry připravily. Došel čas a královna porodila dceru. Ale v okamžení byla pryč, a místo ní leželo v plenkách štěně. Sestry spěchaly za králem a s ošklivostí vypravovaly, co se stalo. Pobízely ho a přemlouvaly, aby se té čarodějnice zbavil. Přišli i druzí dvořeninové a domlouvali králi, aby nezarmucoval celou zem a vyhnal ženu ze zámku.

V králově srdci dosud nevyhasla láska k Johance, ale když slyšel, jak ji všichni proklínají, poručil, aby vystavěli u lesa žalář a tam královnu zavřeli. Sestry dělaly, jako by jim to bylo bůhvíjak líto, a prosily krále, aby jim dovolil Johanku do žaláře dovést a tam ji obsluhovat, což král milerád učinil, v domnění, že bude v nejlepších rukou. Když byl žalář hotov, odvezly ji tam a daly zazdít. Darmo prosila, darmo naříkala, sestry zůstaly jako z kamene, a nešly dřív od žaláře, dokud Johančin hlas neumlknul. O tom však král nic nevěděl, neboť zakázal, aby se nikdo neopovážil o Johance slova promluvit.

Necháme je teď a půjdeme k nebohým sirotkům. Kníže vytáhl z vody i děvčátko a dal mu jméno Růženka. Děti rostly jako z vody a kníže si s nimi užil tisícerých radostí. Nebyl by je dal za celý svět, obzvláště když se dověděl, co se v královském městě událo. Děti se nemohly mít lépe než u něho. Když povyrostly, kníže je bral do zahrady a do lesů a všemu je učil. Růženka chodila s nimi, a když se bratři učili střílet, jezdit a šermovat nebo šli s otcem na lov, sedávala Růženka u své chůvy, učila se příst anebo jiným ženským pracím. Kníže si umínil, že pošle hochy do světa na zkušenou, a teprve až se vrátí, že jim poví, kdo je jejich otec, a dovede je k němu.

Staré přísloví praví: člověk míní, pánbůh mění! Co si kníže umínil, toho se synové nedočkali. Jednou se vrátil z lovu, a sotva dosedl, ranila ho mrtvice. To bylo nářku, to bylo pláče! Ubohé děti si myslely, že jsou nyní docela opuštěné, a nemohly se s otcovou smrtí smířit.

Ale nebyly to již děti! Jaromír měl osmnáct, Jaroslav sedmnáct a Růženka šestnáct let – mládenci jako svěží doubky a děvče jako rozkvétající poupě. Oni ji svými větvemi chránili, ona je svou vůní oblažovala. Jaromír a Jaroslav Růženku na rukou nosili a Růženka bratrům dělala pomyšlení.

Nějaký čas po otcově smrti vyšli si oba bratři do lesa na lov a přikázali služebníkům, aby nikoho do zámku nepouštěli, dokud se nevrátí. Sotva bratři paty vytáhli, přišla k vratům stará babička a prosila o almužnu. Služebníci jí něco dali a poslali ji pryč; ale ona prosila, aby ji pustili k slečně, že si vyprosí něco starého na sebe. Sloužící si mysleli, že stařenka slečně neuškodí, a pustili ji do zámku. Růženka se toulala po zahradě a žebračka stála u zahradních dveří a čekala, až slečna vyjde. Po chvilce přiběhla Růženka, a když žebračku uviděla, hned ji odvedla do zahrady, posadila ji na sedátko a dala jí chutné ovoce. „Odpočiňte si, babičko, a posilněte se. Potom vám najdu nějaké šaty.“

„Ach, milostivá kněžno, jste hodná, že mě, chudou žebračku, tak opatrujete. Bůh vám to stokrát zaplať!“

„Mám dost radosti, že vám to tak chutná. Proč bychom neposkytli potřebnému, když nám bůh nadělil. Hleďte, jak se stromy pod tíží ovoce prohýbají, jak se to všude zelená a kvete, radost pohledět.“

„Ba právě, milostslečno. Ale ještě pěknější by ta zahrada byla, kdyby v ní tři věci byly.“

„A co by to bylo za věci? Povězte mi o nich!"

„Ó milostslečno, ty nejsou k dostání. Je to mluvící pták, živá voda a tři zlaté jabloně."

„Něco takového snad ani na světě není, babičko!"

„I je, ale žádný to nemůže dostat, protože je to na vrchu lidskému tvoru nepřístupném. Ale kdybyste to měla ve své zahradě, byla by desetkrát krásnější a zdaleka široka by se chodili lidé na ni dívat."

Růženka neříkala nic, ale pořád jí to leželo v hlavě. Stařenka už byla dávno pryč, ale Růženka stále ještě chodila po zahradě a myslela na mluvícího ptáka, živou vodu a tři zlaté jabloně.

Když se bratři vrátili z lovu, Růženka jim běžela naproti a hned jim to vypravovala. „Milí, zlatí bratříčkové! Kdybych ty věci dostala, zbláznila bych se radostí."

„Jestli po nich toužíš, opatříme ti je; stejně nás chtěl nebožtík otec poslat na zkušenou," pravil rychle čilý Jaroslav.

„A kdo bude sestru chránit?" ptal se rozvážný Jaromír. „Na to jsi nepomyslel! Zůstaň doma u sestry, a já se vydám na cestu sám."

Růženka litovala unáhlených slov, ale už bylo pozdě. Za několik dní byl Jaromír přichystaný na cestu. Když se loučili, dal Růžence perlový růženec a pravil: „Každý den se s tím růžencem pomodli; dokud půjdou perly jedna od druhé, budu zdráv, jak zůstanou při sobě, budu mrtev."

S pláčem si pověsila Růženka drahou památku nad lože a s bratrem se rozloučila. Nyní zůstali s Jaroslavem sami. Za celý svůj život ani půl dne jeden bez druhého nebyl, jaký div tedy, že se jim oběma po Jaromírovi stýskalo. Den co den se modlila sestra s perlovým růžencem v rukou a vždy jí padala perla za perlou. Dvacátý den

ale, když ho vzala do ruky, tu perly vázly a nechtěly živou mocí od sebe. Růženka začala hořce plakat a naříkat: „Ach, můj milý bratříčku! Ty jsi mrtev, a já nešťastná jsem toho příčinou!"

Tak bědovala, až k ní přiběhl Jaroslav. Když se dozvěděl, proč naříká, všemožně jí to vymlouval, ale Růženka nebyla k utišení a slzy jí po lících jedním proudem tekly.

„Jsi-li svolna, sestřičko, půjdu Jaromíra hledat," navrhl Jaroslav, kterému Růženčin žal svíral srdce.

„Jdi, můj zlatý bratříčku, jdi, já se budu za tebe modlit. Ze zámku se ani nehnu, a zůstanu zde mezi svými."

Jaroslav se tedy přichystal na cestu. Když se s Růženkou loučil, dal jí nůž a řekl: „Tím nožem si krájej každý den chléb; dokud zůstane čistý, budu zdráv, až chytne rez, bude se mnou zle. Myslím však, že se i s bratrem zdráv navrátím."

Růženka plakala a schovala nůž do skříně. Jaroslav odejel, a Růžence se nesmírně stýskalo. Den co den krájela nožem chléb, ale nůž byl čistý až do dvacátého dne. Jak spatřila Růženka rezavé skvrny, plakala ještě více než dříve: „Ó já nešťastná, co jsem to učinila, že jsem oba bratry zabila." Když se utišila, umínila si, že půjde sama bratry hledat. Služebníci ji zrazovali, ale ona si nedala říci, ustrojila se do prostého šatu, vzala peníze a šla. Dlouho chodila po světě, mnoho nesnází přetrpěla, ale na stopu svých bratrů nepřišla. Jedenkráte zabloudila v tmavém lese a nemohla najít cestu. Už jí začínalo být úzko, kterak to asi bude, až přijde noc; když tu spatří chaloupku a před ní stařečka v poustevnickém oděvu. „Bůh ti žehnej, sličná panenko!" řekl na uvítanou. „Posaď se vedle mě, povím ti, kde bratry najdeš a jak je vysvobodíš."

„A jak můžete, stařečku, vědět, že hledám své bratry?" ptala se Růženka podivného starce.

„Neptej se, děvenko, a poslechni mé rady. Tvoji bratři byli také u mě, ale oni se nezachovali, jak jsem jim přikázal, a proto také ptáka, vodu ani jabloně nedostali, ale sami zkameněli, což se i tobě stane, jestli neuděláš, co ti řeknu."

„Oni tedy zkameněli!" vykřikla Růženka a zakryla si uslzenou tvář.

„Ano, ale budeš-li zmužilá, můžeš je vysvobodit. Zde máš zlatou kouli, hoď ji před sebe, a kam se bude kutálet, tam jdi. Přijdeš k jednomu vrchu, velmi vysokému, tam ti koule zmizí. Ty jdi zmužile nahoru, ale na žádnou stranu se neohlížej, ať se děje co děje, ať slyšíš co slyšíš. Jestli se ohlídneš, zkameníš a skulíš se dolů ke svým bratrům, kteří u paty vrchu leží."

„Ó, já chci být poslušna vaší rady, a nelekmu se ničeho, ať mě potká cokoliv, jen abych své bratry vysvobodila."

Růženka se rozloučila s dobrotivým stařečkem, hodila zlatou kouli na zem a šla za ní. Netrvalo dlouho a vyšla z lesa; pak ji vedla kulička zelenými lukami až k jednomu vysokému vrchu, a tam zmizela. Růženka, jak uviděla u paty vrchu dva kameny, pomyslela si hned, zdali to nejsou její bratři; a začala tak plakat, až jí srdce usedalo. Pak se ale vzchopila a kráčela k vrchu. Sotva udělala deset kroků, strhl se tak přenáramný křik, že Růžence uši zaléhaly. Ale ona vzpomněla na slova starcova a kráčela neohroženě dále.

Čím však blíže k vrchu přicházela, tím větší bylo vytí, řvaní, štěkot, pískot, hřímání, a shůry jako by desaterým hlasem někdo křičel: „Nechoď sem, nechoď, já tě roztrhám!" Růžence se vlasy hrůzou ježily, ale přece se neohlídla a šťastně až k vršku došla. Jak byla nahoře, všecko ustalo a ona vešla do krásné zahrady; uprostřed prýštila živá voda, v zlaté kleci seděl mluvící pták a nedaleko stály zlaté jabloně.

Pták v zlaté kleci dal se do křiku: „Když jsi mě vydobyla, vezmi si mě, naber živou vodu, utrhni si tři větve ze zlatých jabloní a pospěš odtud pryč, dokavad se zlá čarodějnice nevrátí. Až přijdeš pod vrch, stříkni na zkamenělé bratry živou vodu, a oni zase obživnou."

S radostí vzala Růženka ptáka, nabrala vodu, utrhla tři zlaté větve a pospíchala z vrchu dolů. Jak přišla dolů, postříkla zkamenělé bratry, a ti v tom okamžení obživli. To bylo radosti, objímání a vypravování! Nato vzal každý jednu věc a všichni ubírali se nazpět. Když přišli do lesa, hledali chaloupku a poustevníka, ale nebylo po něm ani památky. Dostali se šťastně až domů, kde je služebnictvo s jásáním přivítalo.

Růženka si pověsila ptáka do pokoje a na jeho poručení vodu schovala, větve však vsadili bratři každý jednu do zahrady. Za tři dni vzrostly krásné jabloně, i měli z nich nesmírné potěšení.

Pokaždé, když se bratři vrátili z pole a Růženka měla v domě všechno hotovo, vzala vřeténko a šla s bratry pod zlaté jabloně příst. Tu listí nad nimi šumělo, zlaté vršky se k sobě skláněly a šeptaly si tichým váním tajemné báje. Ubohým sirotkům bylo teskno, toužili a nevěděli po čem!

Jednou vyšli si bratři zase na lov; ve stopě zvěře přišli tentokrát až na samé hranice a našli tam královské lovce čekající na krále. Bratři chtěli zase odejít, ale tu přijel král s ostatní družinou a tázal se, odkud jsou ti statní mládenci. Ti slušně před krále předstoupili, pověděli, kdo jsou, a přitom ho pozvali, aby jejich panství svou přítomností poctil.

Od smrti Johančiny nebylo vidět úsměvu na tváři králově. Buďto seděl ve svém pokoji, anebo byl na lovu; nikam nechodil a nikoho k sobě nezval. Divili se tedy dvořané, když pozvání bratrů s laskavou tváří přijal a hned druhý den k návštěvě ustanovil. Nato se vespolek rozloučili.

„Sestřičko, Růženko!" křičeli bratři, při návratu z lovu zdaleka na sestru. „Jestlipak uhodneš, co se nám na lovu přihodilo? Potkali jsme pana krále a pozvali jsme ho k nám na návštěvu. Hned zítra k nám přijede! Kde co nejlepšího máš, to uchystej, abychom ho jak se sluší a patří uctili!"

„Že to je tak najednou," pravila Růženka starostlivým hlasem. „Ale to nic nevadí, nastavím noc a půjde to; zahanbit se nedáme."

Hned se radili jak a co, Růženka běhala z kuchyně do spižírny, ze spižírny do komory, zase na dvůr, vydávala a poroučela, řídila tu i tam. Od největšího až do nejmenšího měl každý práce plné ruce. Konečně si vzpomněla Růženka, že se zeptá svého milého ptáčka, co by tak zvláštního králi uchystala, aby z toho měl opravdu radost.

„Poradím ti, Růženko. Dobře mě poslouchej," odpověděl ptáček. „Až pan král přijede, přiveďte ho do zahrad ke zlatým jabloním, ale dříve mě s klecí na ně zavěste; já mu zazpívám tak krásnou písničku, že se radostí div nezblázní."

Růženka zajásala a radostí po pokoji skákala, neboť věřila, co jí ptáček řekl; byl to rádce na slovo vzatý.

Celou noc žádný v zámku oka nezamhouřil, a jak se rozednilo, trhaly se květiny, zdobily jimi pokoje a chystaly se tabule. K polednímu se bratři i Růženka skvostně přistrojili a očekávali krále. Netrvalo to dlouho. Se čtyřmi koňmi, s četnou družinou v celé slávě přijel do dvora. Bratři ho přivítali hned dole u brány a Růženka čekala nahoře. Jakmile ji král spatřil, bodlo ho u srdce, aniž věděl proč. Bylo mu, jako by tu tvář již někde byl viděl, ten hlas slyšel. Vedli ho do skvostně přistrojené síně, z níž se šlo rovnou do zahrady. Po všelijakém rozmlouvání přistoupila Růženka ke králi a pravila: „Milostivý pane králi, máme v naší zahradě tak vzácné a podivuhodné věci, jaké snad v celé zemi nenajdete. Je-li vám libo se na ně podívat, ráda vás tam dovedu."

S potěšením král vstal, vzal Růženku pod paží a kráčel s ní do pěkné zahrady. Když přišli ke zlatým stromům, zůstal král v úžasu stát, a teprv po dlouhé chvíli se ptal, kdo ty skvostné stromy do země vsadil.

„Tvé děti je sázely, podvedený králi!" ozval se hlas na stromě. „Tvé děti, které ti Johanka porodila a které jí zlé sestry vzaly, po vodě pustily a psy místo nich do kolébky podstrčily. Hanebnou hru s tebou hrály a zle se ti odměnily."

Radost a žalost se střídala v prsou králových. Umdlen podepřel se o rámě Jaromírovo a třesoucí rty chtěly se ptát dítek, je-li to pravda, ale nemohly slova ze sebe vypustit.

„Ty bezbožný ptáčku!" křičela Růženka na ptáka a strachem div neplakala. „Cos to udělal? Co jsi to zpíval za podivnou písničku, teď nám král snad leknutím umře."

„Pravdu jsem zpíval, Růženko, nic než pravdu. Jen ho pokrop živou vodou, ty královské poupátko! On je váš otec, nikoli nebožtík kníže, ten vás jen na vodě chytil a vychoval."

Růženka nabrala do dlaní živou vodu a krále jí pokropila. Král otevřel oči a udiveně hleděl na své děti.

Nyní se vrhly všecky tři děti otci kolem krku a on je s očima plnýma slz k srdci přivinul.

„A kde je naše matka, otče?" zeptal se krále nejstarší syn Jaromír. „Můžeme ji vidět?"

Při této otázce bylo nebohému králi, jako by mu srdce ohnivými kleštěmi sevřel. Vypravoval dětem všecko od začátku až do konce. Jak se kdysi náhodou zatoulal pod okno zahradníkova domku a vyslechl rozverný rozhovor tří dívek. Jak si tu nejmladší vzal za ženu a nakonec ji dal zazdít do žaláře, když jí proradné sestry podstrčily do kolébky místo dětí tři štěňata.

„Nemějte žádnou starost!" vzkřikla náhle Růženka, „jen sedněme honem na koně a pojeďme k žaláři, já matku vzkřísím."

Král hleděl na dceru jako u vyjevení, ale bratři již běželi, neboť vzpomněli hned na živou vodu. Cválali přes vrchy, luka a lesy až k žaláři, rozbořili zdi, a když matčinu mrtvolu našli, omyla ji Růženka živou vodou a Johanka stála před králem tak pěkná jako před dvaceti lety. Jaká to nevýslovná radost pro krále a poté i pro Johanku, když jí král všecko vypravoval, to si může každý pomyslet.

Potom se vrátili zpátky do knížecího zámku a drželi slavné hody, plesání a radování nebylo konce. Když se donesla zpráva do královského zámku, zůstaly sestry Johančiny jako omráčeny. Rády by byly utekly, jenže nemohly, neboť král poručil, aby je kat na náměstí sťal, dříve než se vrátí. To se také skutečně stalo.

Nyní žila královská rodina v samé radosti. Král svou milovanou Johanku na rukou nosil a Růženka chovala ptáka jako nejdražší poklad, jenže do smrti více slova nepromluvil.

Pánbůh dej štěstí, lávko!

Byl jeden vdovec a ten měl dceru. Hanička, tak se to děvče jmenovalo, se přátelila s Dorkou, dcerou vdovy, která bydlela v sousedství. Lidé o ní říkali, že je to zlá osoba, ale Hanička si ji nemohla vynachválit.

Jednou, když byla Hanička zase u sousedů na besedě, Dorčina matka pravila: „Jak by to bylo hezké, děvenky moje, kdybychom mohli žít všichni pod jednou střechou. Řekni, Haničko, otci, že bych mu byla dobrou ženou a tobě hodnou macechou."

Hanička přišla domů a povídá: „Otče, měl by ses oženit s naší sousedkou. Potřebuješ pomocnici a já matku."

„Nevím, nevím, děvenko. Lidé o ní povídají všelijaké věci. Bojím se, že by to nebyla dobrá matka."

69

„Přece bys nedal na babské řeči," řekla Hanička.

A tak se tedy Haniččin otec oženil se sousedkou. Ale sotva bylo po svatbě, macecha otočila. Své nevlastní dceři ani pořádně najíst nedala. Sebrala jí všechny pěkné šaty a chudák Hanička musela chodit v hadrech. Stejně se proměnila i Dorka. Nechala si od Haničky posluhovat a ještě se jí vysmívala.

Hanička si chodívala poplakat ke studni. Jednou ji tam uviděl otec.

„Vidíš, vidíš, děvenko, měl jsem pravdu, že to nebude dobrá matka. Ale teď už se s tím nedá nic dělat."

„Já vím, tatínku," přikývla Hanička. „ Už to nebudu snášet. Raději půjdu někam do služby."

Jak řekla, tak udělala. Vyrazila do světa s holýma rukama. Macecha jí nedala na cestu ani kus chleba. Hanička šla, kam ji oči vedly, až přišla k jedné lávce.

„Pánbůh dej štěstí, lávko," pozdravila Hanička, jak se sluší a patří.

„Dej pánbůh štěstí i tobě, děvenko," odpověděla lávka. „Kampak máš tak sama namířeno?"

„Jdu si hledat službu."

„Než půjdeš dál, obrať mě, prosím tě, na druhý bok. Už kolik let mi lidé po jednom boku chodí, a nikdo mě neobrátí. Když mě obrátíš, dobře se ti odměním."

Dívka lávku obrátila a šla dál. Na cestě potkala prašivého psíčka.

„Pánbůh dej štěstí, psíčku," řekla Hanička.

„Dej pánbůh štěstí i tobě, děvenko," odvětil psíček. „Kampak jdeš?"

„Jdu si hledat službu."

„Počkej chvilku, prosím tě, a očisti mě," poprosil psíček. „Už tudy přešlo hodně lidí, ale žádný se nade mnou nesmiloval. Dobře se ti odměním."

Hanička prašivého psíčka očistila a pokračovala v cestě. Zanedlouho došla ke staré hrušce.

„Pánbůh dej štěstí, hruštičko!"

„Dej pánbůh štěstí i tobě, děvčátko. Kampak jdeš?"

„Jdu si hledat službu."

„Zastav se, děvenko, a setřes ze mě hrušky, už je neunesu. Když mi pomůžeš, odměna tě nemine.“

Hanička očesala všechny hrušky, aby se stromu odlehčilo, a šla dál. Za chvíli došla na louku, kde se pásl býček.

„Pánbůh dej štěstí, býčku!“

„Dej pánbůh štěstí i tobě, děvenko. Kampak máš namířeno?“

„Jdu si hledat službu.“

„Prosím tě, vyžeň mě z té louky. Kolik let už se tu pasu, a nikdo mě nevyhání. Odměním se ti.“

Hanička vyhnala býčka z louky a šla dál. Šla, šla, až došla k peci, ve které hořel oheň.

„Pánbůh dej štěstí, pícko!"

„Dej pánbůh štěstí i tobě, děvenko. Kampak tě nohy nesou?"

„Jdu si hledat práci."

„Než půjdeš dál, buď od té dobroty a uhas ve mně oheň. Už tolik let hoří, a nikdo ho nevyhrabe. Odměním se ti."

U pece stál pohrabáč. Hanička ho vzala, vyhrabala pec a ubírala se dál.

Šla přes hory a doly, až přišla k domu, který stál na kraji lesa. Bydlela v něm jakási stařena. Byla to ježibaba.

„Pánbůh dej štěstí, hospodyně," pozdravila Hanička.

„Dej pánbůh štěstí i tobě, děvenko. Kdepak ses tu vzala?"

„Hledám službu. Nepotřebujete pomocnici?"

„To bych potřebovala, můžeš tu zůstat," řekla stařena. „Nebudeš dělat nic jiného, jen každý den zameteš mých jedenáct světnic. Ale do té dvanácté se ani nepodíváš."

„Jak přikážete, tak udělám," slíbila Hanička.

Trochu si po dlouhé cestě odpočinula a hned se pustila do práce. Každý den zametla a uklidila jedenáct světnic, do dvanácté ani nenahlédla.

Jednoho dne ježibaba někam odešla. Hanička zametala světnice, a když vymetla jedenáctou, napadlo ji, že by se podívala do té dvanácté. Jen očkem tam nahlédnu, řekla si. Vždyť to nikdo nepozná. Postavila koště do kouta, opatrně se přiblížila ke dveřím do dvanácté světnice, pootevřela je a nahlédla dovnitř. Uprostřed místnosti stály tři kádě.

„Co jen v těch kádích může být?" podivila se Hanička. Dodala si odvahy a vešla dovnitř. V jedné kádi bylo zlato, v druhé stříbro a v třetí měďáky. Dívka se naklonila do první kádě a vykoupala si hlavu. Když uviděla, že má krásné zlaté vlasy, vykoupala si i ruce a nohy. Vtom ji napadlo, co tomu asi řekne ježibaba, až se vrátí domů. Na nic nečekala a dala se na útěk. Však taky bylo načase. Stařena už se blížila. Jakmile viděla, že jsou dveře u dvanácté světnice otevřené a kolem kádí rozlité zlato, hned poznala, kolik uhodilo. Popadla železné hřebeny, sedla na trdlici a pustila se honem za milou Haničkou.

Hanička doběhla k peci a tam by ji byla baba dostihla. Ale pec se před ní rozvalila, vyšlehl oheň a trdlici spálil na popel. Hanička zatím uběhla pořádný kus cesty. Na louce, kde se pásl býček, už zase měla ježibabu v patách. Ale býček se rozběhl a začal ježibabu prohánět po poli. Hanička zatím urazila hodný kus cesty. Ale co to bylo platné, u hrušky ji baba zase doháněla. Hruška nechala Haničku podběhnout, zatímco kolem baby omotala své mohutné větve. Než se ježibaba osvobodila, Hanička doběhla k psíčkovi. Psíček se postavil stařeně do cesty. Štěkal na ni a dorážel a děvče zatím dorazilo k lávce. Ohlédne se a vidí, že ji baba dohání. Hanička rychle přeběhla na druhou stranu. Ježibaba za ní – ale ouha! Lávka se pod ní prolomila a baba zapadla po krk do vody a zabořila se do bahna. Měla co dělat, že se vydrápala ven. Ale dál už za Haničkou nemohla.

„Máš štěstí, že jsem tě nechytila!" volala za ní. „Železnými hřebeny bych z tebe zlato seškrábala."

Hanička se ani neohlédla a uháněla k domovu. Když se blížila k chalupě, začal kohout prozpěvovat:

„Kykyryký, panna chvátá,
od hlavy až k patě zlatá!"

Hanička se zastavila u studánky a váhala, jestli má jít domů. Vtom ji zahlédla Dorka a hned běžela za matkou.

„Mámo! Mámo!" volala. „Hanka se vrátila. Měla bys ji vidět, je celá zlatá. Sedí u studánky."

Macecha se tam hned vydala. Byla jako med a zvala nevlastní dceru do domu, jen aby co nejdřív zjistila, kde se tak ozlatila. Celá světnice se rozsvítila, když do ní Hanička vešla. Macecha ji vychvalovala a snášela všelijaké dobroty.

„Vidíš, vidíš," řekla Dorce, „tak je to, když se někdo umí otáčet. Ty bys nejradši seděla doma za pecí. Taky bys měla vyrazit do služby, aby ses něčemu přiučila."

„Proč ne," odsekla Dorka. „Ať mi poví, kam mám jít, a já půjdu."

Hanička sestře všechno vypověděla, macecha napekla pekáč buchet a vypravila Dorku do světa.

Dorka šla, až přišla k lávce. Když ji lávka prosila, aby ji obrátila na druhý bok, ani se nezastavila a odsekla, že ji čeká jinačí práce. Prašivému psíkovi nepomohla. Hrušeň minula beze slova a býčka jakbysmet. Ani u pícky se nezdržela a hnala se dál. Brzy dorazila k domu staré ježibaby.

„Pánbůh dej štěstí, hospodyně," řekla, jak jí poradila Hanička.

„Dej pánbůh štěstí i tobě, děvenko," odpověděla ježibaba. „Kdepak ses tu vzala?"

„Přišla jsem se zeptat, jestli byste mě nevzala do služby."

„I co bych tě nevzala. Vezmu. Každý den vymeteš jedenáct světnic, ale do té dvanácté ani očkem nenahlídneš."

„Dobře, dobře," souhlasila Dorka.

Zametala a poklízela jedenáct světnic a čekala na příhodnou dobu, aby se mohla podívat do té dvanácté. Jakmile baba vytáhla paty, Dorka odhodila koště a vrhla se ke dveřím dvanácté světnice. Otevřela a uviděla tři kádě. V jedné bylo zlato, v druhé stříbro a ve třetí měďáky. Dorka se svlékla a celá se ponořila do kádě se zlatem. Když se pořádně vykoupala, vylezla a dala se na útěk.

Ježibaba se zatím vrátila domů a kouká – světnice nevymetené, kolem kádí rozlité zlato.

„Jen počkej, to ti přijde draho!" zahromovala ježibaba. Navlékla si sedmimílové boty, popadla železné hřebeny a už se hnala za Dorkou. Ta už byla u pece, v které ustavičně hořel oheň. Pec se před ní svalila a oheň tak prudce žhnul, až z ní zlato začalo stékat. Když se konečně dostala dál, narazila na býčka, který jí zastoupil cestu a honil ji tak dlouho, až přiběhla ježibaba. Hrábla po Dorce železným hřebenem a zlato jen pršelo. Než ho baba posbírala, Dorka utekla o kus dál. Ale ouha! Do cesty se jí postavila hrušeň. Omotala ji větvemi a už tu byla ježibaba! Česala z Dorky zlato a sbírala je. Potom Dorka doběhla k psíčkovi. Skákal na ni a zdržoval ji, až se znovu přihnala ježibaba s železnými hřebeny. Když Dorka doběhla na lávku, lávka se pod ní prolomila. Děvče spadlo do vody. Zlato, které z ní nesedřela ježibaba hřebeny, vzala voda.

Když Dorka celá zmáčená a poškrábaná konečně vylezla z vody, neměla na sobě ani kousek zlata. Smutně se vlekla k domovu. Zahlédl ji kohout a hned začal prozpěvovat:

„Kykyryký, míří k nám
smutná panna samý šrám."

Dorka se bála jít domů, a tak zamířila ke studánce. Sedla si tam a dala se do pláče. „Co jsem si to vysloužila? Co mi asi řekne matka?"

Matka zaslechla Dorčin hlas a hned na ni radostně volala: „Pojď domů, dcerušku, a pověz nám, jak se ti vedlo."

Když vešla do světnice, matka spráskla ruce. „Tys tomu dala! Jdi mi z očí, ty motovidlo."

Hodná a skromná Hanička si brzy našla ženicha, zato Dorka zůstala na ocet. Nikdo ji nechtěl za ženu.

Bratr a sestra

Ulesa stála chaloupka a v ní bydlel drvoštěp se ženou a dvěma dětmi, Pavlínkou a Jeníkem. Ta žena byla jejich macecha; matka jim nedávno umřela a otec si vzal druhou ženu, o které se říkalo, že je čarodějnice a že i drvoštěpovi učarovala. Pro děti to byl tuze nešťastný den, když dostaly novou matku; to nebyla ta dobrotivá maminka, která se o ně starala, pracovala pro ně, ošetřovala je a vedla k dobrému; tohle byla zlá macecha.

Od rána do večera musely děti pracovat až do úmoru, k jídlu dostávaly málo a večer chodily spát jako koťata na holou pec. Otec byl celý den v práci, a když si mu děti někdy požalovaly, byly tím víc od macechy bity. Mlčely tedy, utěšovaly se navzájem, a když ulehly ke spaní, poplakaly si a modlily se, aby je maminka brzy vzala k sobě do nebe.

Tu prosbu matka vyslyšet nemohla, ale na její přímluvu byly děti silné a krásné, ačkoli musely bez ustání pracovat, a to hnětlo macechu, neboť ta by je nejraději na světě neviděla. Když už hezky odrostly, nutila muže, aby je poslal do služby, ale k tomu on přivolit nechtěl, protože prý nebožce přislíbil, že se o ně bude starat, dokud nevyrostou. Když macecha viděla, že nic nesvede, obrátila kolečka, a tu teprv zkusily ubohé děti, jak je zlá a co umí. Bylo to za parného odpoledne, když jim macecha poručila, aby vzaly džbány, šly do luční studánky pro vodu a přinesly ji hodně čerstvou.

„Ale maminko," řekl Jeníček, „to je dobře půl hodiny cesty! Jak přineseme tamodtud čerstvou vodu v takovém parnu? Když chcete čerstvou, dojdu do lesní studánky!"

„Hleďme, lenocha, bude se mu to zdát daleko, jen si pěkně pospěšte, tak se brzy vrátíte. A neuděláte-li, co poroučím; dostanete výprask." Takhle se na ně macecha osopila. Sestra honem vzala bratra za ruku a pospíchala s ním ze dveří.

„Skoro se mi vyplnil sen," povídá Pavlínka, když byli kousek za chalupou. „Mně se dneska v noci zdálo, že jsme spolu seděli na zelené louce a ty jsi usnul. Tu najednou zaslechnu vedle sebe hlas: ‚Ochraňuj ho!' Vedle mě stojí nebožka maminka a ukazuje na tebe, já se ohlídnu, a vidím velkého hada, jak se okolo tebe obtáčí. Než jsem však mohla na tebe vykřiknout, probudila jsem se. Snad se mi sen vyplnil, protože jsem tě ochránila před výpraskem; kdybys jen dokázal maceše neodmlouvat, ušel bys mnohé ráně."

„Copak se můžu nechat týrat a ani nemuknout? Ale tvůj sen mi připomněl, že i mně se dneska v noci zdálo o naší nebožce mamince. Viděl jsem, jako bych byl u studánky a chtěl pít; tu u mě stojí matka, bere mi džbánek od úst a hrozí mi prstem."

„Já mám strach, aby se ti dnes přece ještě něco zlého nepřihodilo, bratříčku."

„Jen se neboj, co by se mně mohlo stát?"

Za té řeči došli na louku, kde byla studánka. „Pavlínko, podívej, jaká je tu čistá voda a jak studená. Já se nemůžu udržet, musím se jí napít."

„Bratře, prosím tě, nepij; já pořád myslím na nebožku maminku, a i když mám dost velkou žízeň, přece se nechci z téhle studánky napít. Udrž se taky, Jeníčku, poslechni," prosila sestra a brala mu džbánek od úst.

„Otec říká, že sen je blud, na ten že se věřit nemá. Co by se mi z té vody mohlo stát? Jen mě nech napít, vždyť mám v puse jako v peci," odmlouval neposlušný bratr, sehnul se pro vodu, přiložil džbánek k ústům a napil se. V tom okamžení se proměnil v beránka.

Pavlínka se vrhla k němu do trávy, plakala a objímala nešťastného bratříčka, který se na ni smutně díval. „Že jsi mě neposlechl, že jsi nedal na varování nebožky maminky. Ta jistě předvídala, co nám bezbožná macecha chystá. Copak si teď s tebou počnu, můj ubohý bratříčku?" bědovala tiše Pavlínka.

Ve svém zármutku si ani nevšimla, že za ní stojí mladý muž, který šel kolem a zastavil se u hořekujícího děvčete. „Co pláčeš, děvče, kdo ti ublížil?"

„Milý pane," odpověděla Pavlínka po krátkém rozmýšlení, „já pásla dvě ovce, jedna se mi však zaběhla do lesa a už není k nalezení; tuhleta mi zůstala. Mám tuze zlou macechu, ta by mě jistě zabila, kdybych přišla domů bez ovce, a proto se bojím vrátit se zpátky, ale kam jít, to taky nevím."

„Když nevíš, kam se obrátit, a domů jít nechceš, pojď tedy se mnou," navrhl jí mladý muž.

„Půjdu s vámi, ale dřív mi povězte; kdo jste, kam mě chcete vést."

„Já jsem zeman, jmenuju se Štěpán a mám asi hodinu odsud pěkný dům; jestli chceš, pojď, u mě se ti nic nestane a budeš se mít dobře."

Pavlínka se podívala na bratra, a když přikývl, vstala a řekla Štěpánovi, že s ním do jeho domu půjde. Štěpán byl rád, vzal děvče za ruku a rychle spěchali pryč, beránek pořád Pavlínce po boku. Štěpán mluvil málo; neustále po dívence pokukoval, jako by jí chtěl z tváře číst. Než přišli k jeho domu, dospěl v umění čtenářském tak daleko, že mohl Pavlínku ujistit, že bude záležet jen na její vůli, bude-li se chtít stát zemankou. Když viděli služebníci přicházet svého pána, byli připraveni vyplnit jeho rozkazy, ale jak se podivili, když poroučel, aby pro pastýřku přichystali ten nejpěknější pokoj.

„Toho beránka dáme do ovčína, pane?" ptal se jeden z nich.

„Ne, ne, pane," skočila do řeči Pavlínka, „nedávejte mě do pěkného pokoje, ale raději někam do koutka, abych směla mít toho beránka u sebe; jestli mi to nemůžete dovolit, musím odsud odejít."

„Ty odejít nesmíš, ani tě nedám do komůrky," řekl Štěpán, „jdi do pokoje, který je pro tebe uchystaný, a vezmi si s sebou i svého beránka."

Pavlínka poděkovala vlídnému hostiteli a šla za služebníkem, který ji zavedl do velmi pěkného pokoje.

„Milý bratříčku," šeptala Pavlínka, když byli spolu sami, „tady je jako v nebi, do smrti bych tu chtěla zůstat. A ten pan Štěpán, to je vlídný a hodný pán; já mám jen strach, aby nás tu nevyslídila macecha."

„Já zase mám starost jen o tebe, sestřičko," řekl Jeníček, „mně se již nemůže nic stát, na mně si ta dračice zlost už vylila. Co řekne náš tatínek, až nás nenajde doma, on nás přece jen měl rád a bude se pro nás trápit," vzdychl ubohý beránek a plakal.

„Trápit se ovšem bude, ale snad nás má raději v širém světě než doma u macechy; jistě ho napadne, že jsme utekli. Netruchli, Jeníčku, snad se Bůh nad tebou smiluje a vysvobodí tě z tvé nynější podoby. Teď buď zticha a žádnému tady se neprozraď, aby nás neměli za čarodějníky a nevyhnali nás odsud."

Kdyby Pavlínce nebylo bratrovo trápení působilo starost, byla by žila jako v nebi. A přece jí začalo být najednou teskno.

„Jeníčku, zítra musíme odsud pryč, ať to je kamkoli, Bůh nás povede," řekla jednoho večera bratrovi.

„A proč chceš odsud do světa, kde na nás nečeká nic dobrého? Vždyť nás pan zeman nevyhání, naopak, já vím, že tě má tuze rád," řekl bratr.

„Já nevím proč, ale něco mi našeptává, že bych tu déle neměla zůstat; i když půjdu odsud nerada," šeptala Pavlínka a zakryla uslzené oči rukou.

„Ty jsi divná, chceš utíkat, když tě tady lidé milují." S těmi slovy se ukládal bratr na měkké lůžko, které mu sestra připravila. Ale Pavlínka nemohla dlouho usnout. Ráno se ustrojila, vzala beránka a šla panu Štěpánovi poděkovat za všecko dobrodiní, které jim prokázal, a rozloučit se s ním.

„Proč chceš ode mě odejít, Pavlínko?" ptal se Štěpán a jeho tvář zbledla. „Chybí ti něco? Ublížil ti někdo? Stýská se ti? Pověz, proč mě chceš opustit?"

„Vy jste se choval ke mně, chudé pastýřce, jako k paní sobě rovné, nikdo mi tady neublížil; proč by se mi stýskalo a na koho bych měla naříkat. Přece však odsud musím pryč. Bůh vám stokrát zaplať a naděl vám štěstí!"

„On mi ho nadělil, když mi poslal tebe, ale ty sama chceš, abych se stal nešťastný. Neodcházej ode mě, Pavlínko, zůstaň a sdílej se mnou celý můj život," prosil Štěpán a naklonil se k uzardělé dívce.

Pavlínka už na cestu nepomyslela a Štěpán byl šťastný. Za několik dní nato slavili svatbu, tiše, ale ve štěstí, jaké poskytuje čistá láska.

Čím víc Štěpán poznával svou rozmilou ženu, tím víc ji ctil a miloval; i služebníci žehnali tu hodinu, kdy pastýřka překročila práh domu, protože jim byla paní shovívavou a dobrotivou. Štěpán dosud nevěděl, že beránek je začarovaný Pavlínčin bratr. Z lásky k dobré majitelce ho chovali jako nejmilovanějšího mazlíčka celého domu. Ponořena do štěstí a blaha zapomněla Pavlínka na mstivou macechu, až ji zase z pokojné jistoty vytrhl sen.

Zdálo se jí totiž, že stojí v zahradě a před ní že je žena s košíkem překrásných jablek a ta jí podává. Užuž je chce Pavlínka vzít, vtom vidí vedle sebe bílý stín a slyší slova: „Dej pozor, dcero, budeš nešťastná jako tvůj bratr!" I strhne ruku zpátky, a vtom se probudí. Polekaná to povídá ráno Jeníčkovi.

„Poslechni matčino varování líp než já," varoval sestřičku s povzdechem ubohý beránek. Mladá zemanka si umínila dávat dobrý pozor na každého, kdo by vešel do jejich domu, od nikoho nic nepřijímat, a zvlášť nejíst žádné ovoce. Po několik dní to opravdu dělala a střežila dům jako rys, ale když neviděla nic, co by bylo podezřelé a mohlo sen změnit ve skutečnost, polevila v pozornosti a brzy zase na sen zapomněla.

Jednoho dne se prochází se svým mužem po blízké cestičce, když tu k nim přichází žena a na ruce má košík s jablky. Jak je Pavlínka spatřila, dostala na ně tuze velkou chuť. Co by Štěpán pro svou ženušku neudělal. Rychle k sobě zavolal ženu a ptal se, jsou-li ta jablka na prodej.

„Nejsou," povídá žena, „jistě jste je chtěl, pane, koupit pro svou mladou paní. Nu, já vidím, že očekává děťátko, a tu bývá hřích něco odepřít; proto vám daruju to nejkrásnější ze všech."

Přitom sáhla do koše, vytáhla jedno krásné jablko a podávala ho mladé paní. Vtom však náhle vyskočil beránek, který šel za sestrou, jablko ženě vyrazil a zašlapal ho do země. Žena začala vyvádět a div že beránka neuhodila. I Štěpán se poprvé na něj obořil; jediná Pavlínka byla ráda a v srdci bratrovi děkovala, že jí sen připomněl.

„Děkuju, milá ženo, za vaši ochotu," chlácholila ji Pavlínka; „myslete si, že jsem jablko snědla, a na toho beránka se nehněvejte. Je to přechytré zvíře, dobře si pamatoval, že jsem dostala onehdy radu; abych nejedla nějaký čas ovoce."

„Jen si nemyslete, vzácná paní," řekla žena, „že by vám uškodilo jedno jablko, a zvlášť takové, jako tady nesu, to je pravý lék. Nemůžu tomu krobiánskému beranovi odpustit, že vás připravil o to nejkrásnější. Mám tu však ještě jedno tak pohledné, tady ho máte."

„Děkuji, ale nechci vás o ně připravit a nemůžu ho přijmout," odmítla Pavlínka, jablko nepřijala a obrátila se k domovu. S jistotou se domnívala, že tu ženu poslala macecha k její zkáze, a zmocnila se jí nevýslovná úzkost. Od té chvíle ze stavení nevyšla na krok, ba ani muže nikam nechtěla pustit, aby se mu nic nestalo.

Za krátký čas nato porodila dítě zdravé a hezké jak jezulátko, a to brzy rozehnalo mráčky z její tváře. Mladý otec byl radostí opojený tak, že nevěděl, žije-li na nebi anebo na zemi. I beránek sdílel všeobecnou radost, skákal vesele po pokoji a kladl kudrnatou hlavu na hebkou podušku k dítěti.

Už bylo všecko ovoce očesáno, když vyšla Pavlínka zase do zahrady. Bylo jí smutno, když viděla přírodu zbavenou vší okrasy, a byla by plakala s větrem, který kvílel přes holá strniště a vál skrze žluté stromy. Tu vidí mezi větvemi něco se červenat, koukne, natáhne ruku a podá si jablko jako granát; snad zůstalo na stromě po sběračích. Nechtěla ho sníst, ale než se vrátila domů, dostala na něj

tak velkou chuť, že se nemohla udržet a rychle ho nakousla. Běda, že se neudržela, že nevzpomněla na sen! Sotva jablko snědla, proměnila se v zlatou kachnu a s bolestným výkřikem vyletěla ven ze zahrady. Jablko nalíčila macecha, a tak přece dosáhla svého.

Když se Pavlínka dlouho nevracela, šel Štěpán pro ni, ale Pavlínka nebyla k nalezení. Čím víc hodiny ubíhaly, tím víc padal na všecky strach, a zvlášť beránka trápilo zlé tušení. Štěpán prohledal na hodinu cesty každý keř, všude se ptal, ale s nocí přišel bez Pavlínky domů celý zoufalý. V leknutí a zmatku nevzpomněl nikdo na dítě, jen beránek ležel u kolíbky, kolíbal a plakal.

Štěpán chodil po ložnici, a kdykoli pohlédl na spící dítě, zaplakal. Bylo už k půlnoci, ale poslové rozeslaní na všecky strany se ještě nevraceli. Štěpán seděl v lenošce; tu jako by mu něčí ruka vší silou sevřela víčka, nemohl odolat a usnul.

Po nějaké chvilce slyší beránek lehounké ťukání na okno a jemný hlásek se ozývá: „Bratříčku, otevři!"

Jeníček znal ten hlas a s radostí skočil k oknu otevřít. Do pokoje vletěla zlatá kachnička a tam se proměnila v Pavlínku.

„Má dobrá sestřičko, tak i ty jsi nešťastná jako já!" zanaříkal beránek.

„Můj drahý Jeníčku, ještě nešťastnější, protože jsem ztratila víc než ty," odpověděla Pavlínka a sedla tiše ke kolíbce. „Teď však poslouchej, co ti povím. Od té chvíle, co jsem snědla to osudné jablko a proměnila se v zlatou kachnu, seděla jsem na stromě v naší zahradě ukrytá mezi listím. Za soumraku přiletí malá vlaštovička, sedne vedle mě na větev a povídá: ‚Až bude půlnoc, jdi a postarej se o dítě.' Jakpak se můžu postarat v téhle podobě? ptám se té podivné vlaštovičky. ‚Jen jdi, zaťukej na okno, a až ti otevřou, vleť do pokoje, a v tom okamžení nabudeš zase svou podobu. Déle než hodinu se však nesmíš zdržet, aby s tebou nebylo zle, zítra v poledne tam můžeš zase, a tak vždycky po dvanácti hodinách.' Ale co když mě můj muž nebude chtít pustit z domu? ‚Zlá čarodějnice, která zničila tebe i tvého bratra, nemůže způsobit, abys tu hodinu u svého dítěte nepobyla, ale tvému muži dokáže zabránit, aby tě vysvobodil, proto ho pohroužila v kouzelný sen.' A jak by mě a mého bratra mohl Štěpán vysvobodit? vyptávala jsem se vlaštovičky, a ona mi povídala dál: ‚Bude-li chtít tvůj muž vysvobodit tebe a tvého bratra, musí se to stát do tří dnů. Někdo ho musí z kouzelného spánku probudit, aby tě mohl v pokoji zadržet a ochránit tě. Kdyby hodina vypršela a ty by ses z pokoje nevrátila, přiletí velký černý orel a bude tě chtít unést. Tu musí Štěpán na orla střelit, ale tak, aby ho trefil do pravého oka, jinak by s tvým mužem bylo zle. Jak ho střelí, spadne orel dolů; ty i tvůj bratr se umyjete jeho krví a budete vysvobozeni. Poslechni mou radu, já jsem vaše matka!' Po těch slovech vlaštovička zmizela.“

„Moje milovaná sestřičko, jak jsi mě potěšila!“ zvolal beránek. „Teď jde jen o to, jak Štěpána probudíme.“

„Neměj starost, bratříčku, snad se ve třech dnech, které nám zbývají k vysvobození, Bůh nad námi smiluje; naše maminka se za nás přimluví.“

Tak utěšovala v slzách Pavlínka beránka a nakrmila dítě, které se už začalo budit, a postarala se o ně. Hodina utekla jako voda. Pavlínka polaskala naposled své dítě, políbila ústa spícího manžela, kterého ani tím vroucím objetím nemohla vzbudit z kouzelného snu, rozžehnala se s bratrem a vylítla oknem jako zlatá kachnička.

Sotva beránek zavřel okno, přejel si Štěpán rukou přes oči, rozhlédl se po pokoji, a když viděl jen spící dítě a u kolíbky beránka, vzdychl a zabědoval: „Pavlínko moje, on to byl jenom sen, že tě držím v náručí, že mě líbáš!“

„To nebyl žádný sen, ona tě skutečně líbala a byla u tebe,“ ozval se hlas nedaleko Štěpána.

„Čí je to hlas, kdo tady mluví?“ zeptal se Štěpán celý užaslý

Tu vstane beránek, popojde k Štěpánovi, položí hlavu na jeho ruku a povídá: „Já tu mluvil, bratr tvé Pavlínky."

„Cože, beránku, ty že bys byl bratr mé ženy?"

„Ano, já jsem její nešťastný bratr, zakletý od zlé macechy v beránka, dřív než ona v zlatou kachničku."

Štěpán nevycházel z údivu, když mu Jeníček slovo od slova všecko vypravoval. „Běda, že jste se ostýchali povědět mi o svém neštěstí, já bych dával na svou ženu větší pozor. Ale nebojte se, já vás oba vysvobodím, a to brzy."

Tak řekl Štěpán, když Jeníček domluvil. Hned pookřál, vyskočil z lenošky a běžel ven vzbudit ženy, aby beránka u dítěte vystřídaly. Od té chvíle se neustále cvičil ve střílení. Ačkoli byl výborný střelec, přece se bál, aby tentokrát nestřelil nešťastně. V samé horlivosti promeškal hodinu, kdy se měla objevit Pavlínka, a kouzelný spánek ho přemohl, než se nadál. Zase jako v noci otevřel beránek zlaté kachničce, která se přiletěla postarat o děťátko. Jeníček jí pověděl, že Štěpán všecko ví a že je chce vysvobodit.

Sotva kachnička zmizela, přiběhl Štěpán zbavený těžkého snu, ve kterém tentokrát svou Pavlínku neviděl. Něžně zulíbal tváře dítěte, na nichž ještě lpěly matčiny vroucí polibky. V očekávání, při bolesti a radosti uplynula i noc, uplynul druhý den a zase noc, a poslední lhůta k vysvobození se přiblížila. Štěpán vzal ručnici a šel do ložnice své ženy. Mimo beránka a malé dítě tam nebyl nikdo. Beránek se třásl na celém těle jako osika, ale Štěpán chodil po pokoji pevným krokem a všemožně se přemáhal, aby nepodlehl kouzlu. Ale už zase cítil, jak se ta šedá mlha nad ním sklání jako můra, a v hrozné úzkosti skočil k oknu a otevřel ho. Právě do něj letí zlatá kachnička a nad ní se spouští střemhlav dolů černý orel. Štěpán sáhne po kachničce, chytne ji za křídlo a strhne do pokoje; orel s jiskřícíma očima však chce za ní, ale tu najednou práskne rána a hrozný dravec spadne s ukrutným skřekem dolů.

„Teď pojďte, abyste se vysvobodili jeho krví," jásá Štěpán a kachnička i beránek jdou za ním. Ale hrůza pojala bratra i sestru, když uviděli místo orla mrtvolu své macechy. Kdyby Štěpán nebyl na jejich vysvobození pomyslel, byli by snad zůstali ve své nynější podobě navěky. Sotva je postříkl krví, stála před ním drahá Pavlínka a sličný mládeneček. Potom se odvážili jít do chaloupky pro starého drvoštěpa. Otec je líbal a prosil za odpuštění, ale oni věděli, že je vždycky miloval, a proto mu odpustili.

Od toho dne žili všichni spokojeně; starý drvoštěp choval vnoučátka a ještě mnohá léta žil se svými dětmi, až nakonec jeho první manželka, která se i po smrti tak mateřsky starala o své ubohé děti, pro něho přišla a do nebe ho doprovodila.

Dupynožka

Žila jednou jedna matka a ta měla dceru
Helenku. Bylo to děvče nadmíru líné.
Jednoho dne, když zase jen lelky chytala a na
práci ani nesáhla, vystrčila ji matka před chalupu a sešlehala ji proutkem.
Helenka se dala do hlasitého pláče.

Zrovna v tu dobu jel kolem kníže z Červeného zámku. Když viděl uplakanou Helenku, zastavil a zeptal se: „Pročpak to děvče trestáte, paní mámo?"

„Jakpak ji nemám trestat? Pořád by jen u kolovratu seděla a předla z konopí zlaté nitky," odpověděla matka. Styděla se přiznat, že má línou dceru.

„Jestli je to pravda, tak mi ji prodejte," řekl kníže.

„I s radostí! A co mi za ni dáte?"

„Půl měřice zlata."

„Tak si ji tedy vezměte," souhlasila matka.

Kníže vysadil Helenku k sobě na koně a odvezl si ji do Červeného zámku. Tam z koně sesedli, pán vzal děvče za ruku a zavedl je do komnaty, která byla od podlahy až ke stropu plná konopí.

„Když to všecko spředeš na zlaté nitky, staneš se mou ženou, když ne, zle se ti povede," řekl kníže a odešel. Dveře za sebou zamkl na několik západů.

„Co si počnu?" naříkala Helenka. „Co jen se mnou bude?" Pozdě litovala, že byla líná a neposlušná, a plakala, až srdce usedalo. Vtom se v okně objevil malý mužíček. Na hlavě měl červenou čepičku a na nohou nablýskané botky.

„Proč tak naříkáš?" zeptal se Helenky a zadupal nožkama.

„Jak nemám naříkat, když mi nakázali upříst z té hromady konopí zlaté nitky! Ale já zlaté nitky příst neumím!" bědovala Helenka.

„Když do tří dnů uhádneš, jak se jmenuji a z čeho mám ušité botky, pomohu ti," zasmál se mužíček. „Všechno konopí za tebe sepředu a ještě tě naučím, jak se to dělá. Když neuhodneš, půjdeš se mnou."

Co měla Helenka dělat? Nezbylo jí, než aby souhlasila.

Mužíček se jenom ušklíbl, vzal vřetánko a hned se pustil do předení. Kolovrátek se točil a vrčel, konopí ubývalo a zlaté příze přibývalo.

Když se den nachýlil, mužíček vstal od přádla a zeptal se: „Už víš, Helenko, jak se jmenuji a z čeho mám ušité botky?"

Děvče hádalo, ale neuhodlo. A mužíček zadupal nožkama v podivných botkách, vyskočil na okno a byl ten tam.

Helenka seděla u okna, vzdychala a přemýšlela, jak se asi ten mužíček jmenuje a z čeho má ušité botky. Venku už byla tma jako v pytli, ale ona stále nemohla najít odpověď na mužíčkovy hádanky. Lámala si hlavu, dokonce i na jídlo zapomněla.

Vtom ji z přemýšlení vytrhlo hlasité vzdychání a naříkání: „Já nešťastný, hlad mám, žízeň mám a nikdo mě, chudáka starého, nepolituje."

Helenka vykoukla z okna a uviděla pod ním sedět starého žebráka. Vzala jídlo i pití, co měla, a všecko mu to podala. Žebrák se posilnil a pěkně Helence poděkoval; ta mu řekla, aby přišel druhý den zase. Pak si lehla na konopí a usnula.

Ráno se objevil v komnatě mužíček. Chopil se vřetánka a předl celý den jako divý. Helenka ho bedlivě pozorovala, ale když se jí večer zeptal, jestli už zná jeho jméno, zase nevěděla. Mužíček se zachechtal a zmizel.

A tak si Helenka sedla k oknu; a přemýšlela, jak se asi jmenuje a z čeho má botky, ale nic nevymyslela.

Tak jako první den přišel i teď pod okno žebrák. Helenka mu dala svou večeři, ale byla smutná a plakala, protože už nazítří měla dát mužíčkovi odpověď a stále ji neznala. Začala se bát, co s ní bude, když to neuhádne.

Žebrák se posilnil a povídá: „Pročpak jsi tak smutná, děvenko?"

Helenka mu nechtěla o svém soužení povědět. Myslela si, že jí beztoho nepomůže. Když se jí ale ptal podruhé, co ji trápí, že by snad radu věděl, všechno mu po pravdě pověděla.

Žebrák pokývl a řekl: „Poslouchej, co se mi dnes přihodilo. Byl jsem v lese a tam jsem uviděl ohníček. Okolo ohníčku stálo devět hrnečků, kolem nich poskakoval mužíček v červené čapce a zpíval:

,Dupynožka kouzla vaří,
čáry máry peče,
zítra si jde pro nevěstu,
však mu neuteče.
Nosí botky z kůže bleší,
už se na Helenku těší.'

Snad ti to, děvenko, bude k něčemu dobré."

„Děkuji vám, dědečku!" zaradovala se Helenka. „Teď už vím, jak tomu podivnému mužíčkovi odpovím."

Žebrák odešel a Helenka se uložila k spánku.

Třetího dne zrána se v komnatě opět objevil mužíček v červené čepičce. Na nic nečekal a rychle se pustil do předení. Než slunko zapadlo, byla komnata plná zlaté příze a po konopí ani památky.

Mužíček se postavil před Helenku, zašklebil se a řekl: „Tak co, už víš, jak se jmenuji a z čeho mám ušité botky?"

„Jmenuješ se Dupynožka a botky máš ušité z bleší kůže," zasmála se Helenka a zatleskala rukama.

Když to mužíček slyšel, začal se točit jako vřeteno, vztekle dupal křivýma nohama, ječel a skřehotal, až se komnata otřásala. Nakonec vylétl oknem a byl ten tam.

Helenka v duchu žebrákovi děkovala. Ráda by se mu byla odsloužila, ale on už víckrát nepřišel.

Když se kníže přesvědčil, jak je Helenka pilná a jaké krásné zlaté nitky přede, dodržel slovo, vystrojil svatbu a vzal si Helenku za ženu.

Sedmero krkavců

Matka pekla chléb a slíbila svým sedmi synům, že udělá každému po bochníčku, budou-li tiší. Chlapci umlkli na chvíli jako pěny, ale bochníčky za tu chvíli upečené být nemohly, a chlapci byli netrpěliví. Začali matku zase zlobit, neustále za sukně ji tahat a křičet, kdy budou bochníčky hotové. Dlouho to matka snášela, ale nakonec jí došla trpělivost; hněvivě na ně vzkřikla: „I bodejž jste se všichni zkrkavčili!"

Sotva ta nešťastná slova dopověděla, proměnili se její synáčkové v sedmero krkavců, pohlédli smutně na matku, zatřepali křídly, vznesli se do povětří, a než se vyděšená matka vzpamatovala, zmizeli jí z očí. Naříkala a bědovala, ale nebylo to nic platné, děti byly tytam. A co teprve, když se otec vrátil a kadeřavý Jaroslávek mu naproti nepřišel, ani žádný ze sedmi synů ho nepřivítal. Naříkal, div si nezoufal, když se o jejich nešťastném osudu dověděl. Manželku nekáral, vida, že těžce hoře své nese, neboť ji velice miloval, a proto raději bolest svou v srdci ukrýval.

Po nějakém čase se i matčin zármutek ztišil, když se pánbůh nad ní smiloval a pro potěšení dceruškou ji obdařil, kterou si dávno místo některého chlapce přála. Bohdanka byla milá a hezká dívenka, a čím více rostla, tím spanilejší byla a tím více radosti rodičům působila, jako by věděla, že má mnoho co vynahrazovat. Jednou, když už byla trochu větší, stála v komoře u truhly, v níž matka cosi hledala, a vtom spatřila vespod malé kazajky a košile pro chlapce.

„Maminko, čí jsou to kazajky a košile?" ptala se zvědavě matky.

„Neptej se mě, dítě milé," odpověděla matka a hned ji horké slzy polily.

Bohdanka se nechtěla více na nic vyptávat, když viděla nešťastnou matku, ale přece jí neustále v mysli vězelo, čí asi jsou ty kazajky a proč při pohledu na ně maminka plakala. Zeptala se otce, ale ten začal také slzet, a Bohdanka se opět nic nedověděla. I napadlo jí, neměla-li bratry; ale bylo jí divné, proč je rodiče zapírají, a jestli umřeli anebo někde v cizině jsou, proč žádný o nich nemluví.

V domě byla mezi čeládkou stará děvečka jménem Dorota, která již mnohá léta u nich sloužila a tak říkajíc k rodině patřila; té se konečně Bohdanka zeptala, čí to jsou kazajky a košile, co v truhle leží a nad nimiž matka plakala. Dlouho jí to nechtěla Dorota povědět, ale nakonec se dala přemluvit a děvčeti o ztrátě sedmi bratrů pověděla.

„Povídej mi, Dorotko," prosila děvečku, „povídej, jak moji nešťastní bratříčkové vyhlíželi."

Dorotka začala chlapce popisovat od hlavy k patě, vypravovala, co který rád dělal a jedl, který byl hodný a který ještě hodnější.

„Ó, jak bych svoje bratry milovala!" povzdychla si Bohdanka, když Dorotka tu chvalořeč dokončila, a na chvíli se zamyslila. Najednou ale kadeřavou hlavinku vztyčila a zeptala se: „Ale Dorotko, kampak moji bratři ulítli? Což jsou navěky ztraceni?"

„Ztraceni? To snad ne; ale kdož ví, na kterém místě jsou zakleti. Pochybuji, že by se kdo odvážil po světě je hledat."

„Kdybych já byla jen tak velká a silná, jako jste vy, já bych je hledala tak dlouho, až bych je našla."

„Milá panenko, svět je velikánský, vy byste se v něm ztratila jako zrnko máku na širé pláni, to je bláhová myšlenka."

Ale Bohdanka se té myšlenky nechtěla vzdát. Kudy chodila, tudy myslela na ubohé bratry, myslela na žal svých rodičů, které často potají plakat vídala, a den ode dne byl pevnější její úmysl vydat se na cestu, jen co bude trochu silnější.

Rok po roce plynul a Bohdanka dospěla do věku osmnácti let. Byla urostlá jako jedle, měla krásnou tvář, ale ještě krásnější byla její čistá, ctnostná duše. Po celý ten čas nezapomněla ani na okamžik na své předsevzetí, a teď si umínila, že tu pouť nastoupí. Jednalo se tu jen o to, co tomu rodiče řeknou a zdali milované dítě do světa pustí. Bohdanka měla ale pevnou vůli na rodičích svolení vyprosit.

Jednou seděli otec a matka vedle sebe a oba při vzpomínce na své syny zaslzeli; Bohdanka k nim přistoupila, vzala je za ruce a řekla: „Maminko, tatínku, neskrývejte přede mnou slzy, já vím, co vás trápí, a chci vám již dlouho pomoci."

„Ty, ty že víš, co nás trápí, a že nám chceš pomoci, to není možná!" zvolali oba najednou.

„Je to možná, já vám jistě pomohu, jen když svolíte, oč budu žádat."

„Kdo ti to pověděl? Jak nám chceš pomoci? Co žádáš?" tázali se kvapně.

„Mně se zdálo již po tři noci, že přilítl k mému loži malý krkavec a takto ke mně pravil: ,Nemeškej, Bohdanko, a vydej se na cestu. Já jsem jeden z tvých sedmi bratrů v krkavce zakletých, my na tebe čekáme, abys nás vysvobodila. Řekni to rodičům a vydej se na cestu, my tě povedem a chránit budeme, kamkoliv se obrátíš.' To mi po tři noci ten krkavec povídal, a já nyní vím, že jsem měla sedm bratrů, pro které se trápíte. Když mě pustíte do světa a dáte mi požehnání na cestu, přivedu vám je zpátky," dodala Bohdanka, která si sen jenom vymyslela, aby snáze svolení od rodičů obdržela.

„Dítě, dítě, také tebe máme oželet, máme ještě poslední radost ztratit? Ne, ne, ty nás nesmíš opustit," naříkali ubozí rodiče.

„Mám tedy nechat bratry zahynout, kteří jen ve mne svou naději skládají? Nechte mě jít a nemějte starosti, že v širém světě zahynu, láska mě povede a ochrání na cestách. Považte, jaká to bude radost, až vám bratry přivedu a zdráva se do vašeho náručí vrátím!" Tak a ještě mnohem usilovněji Bohdanka prosila a dotírala na rodiče, až konečně svolili, ačkoli s hořkými slzami a s těžkým srdcem.

A tak si Bohdanka přichystala pocestní šat a za několik dní byla na cestu připravena. Když se s rodiči loučila, dala jí matka prsten z ruky a řekla: „Po tomto prstenu tě moji starší synové poznají, to byla jejich nejmilejší hračka, když jsem je na klíně držívala."

S bolestí požehnali rodiče svému jedinému dítěti a s těžkým srdcem se i Bohdanka s nimi rozloučila. Ale její odhodlání ani na okamžení neochablo. Odhodlaně se pustila do dalekého světa bez průvodce, bez ochránce, jen čistá láska sesterská bděla nad ní a nedala jí klesnout.

Dlouho chodila, aniž se o bratrech něco dověděla. Jednoho dne přišla do velkého lesa, a bloudíc drahný čas po něm, našla chaloupku, do níž vešla. Bylo tu chladno a libo, ale i ticho a pusto; Bohdanka si sedla a čekala, kdo přijde. Najednou se dveře otevřely a do nich vkročil divoký mládenec.

„Co tu hledáš a kdo jsi?" zeptal se Bohdanky a dech jeho ji silně ovanul.

„Nehněvej se, pane, já hledám svých sedm bratrů, dnes jsem v tomto lese zabloudila a do chaloupky tvé vkročila. Nech mě zde odpočinout."

„Já jsem Vítr a každého, kdo mi přijde do cesty, roztrhám. Ale že jsi umdlena, dopřeji ti odpočinutí."

Bohdanka si zase sedla a pomyslela si, když je mládenec Vítr, že by snad o bratrech vědět mohl, a umínila si, že se ho na ně zeptá. „Pane," začala po chvilce, „již dlouhý čas tomu, co chodím po světě a hledám svých sedm bratrů, kteří jsou v krkavce zakleti; nemáš zdání, kde by mohli být?"

„Nemohu ti o nich povědět, ale můj bratr Měsíc, ten by měl vědět, kde jsou. Že jsi tak hodná, donesu tě k němu."

Bohdanka souhlasila a divoký mládenec ji vzal do náručí. Jako by prsa jeho byla naplněna vonným kvítím, tak libě vanul jeho dech.

Měsíc byl bledý mládenec se stříbrnými vlasy. „Co u mě pohledáváš?" zeptal se Bohdanky, když ji k němu Vítr donesl.

„Pane, hledám sedmero bratrů v krkavce zakletých. Tvůj bratr mi povídal, že bys o nich vědět měl; prosím tedy, abys mi pověděl, kde jsou."

„Rád bych ti pověděl, kde se nacházejí, ale nevím o nich nic. Můj bratr Slunce, ten ti dá nejjistější zprávu. Chceš-li, donesu tě k němu."

Jak by nebyla Bohdanka chtěla! S radostí svěřila se stříbrovlasému mládenci a ten ji donesl k Slunci, svému bratrovi.

Slunce byl krásný zlatovlasý mládenec. Když mu Bohdanka žádost přednesla, řekl: „Vím, kde jsou tvoji bratři, a chci tě k nim donést. Dříve si však odpočiň a posilni se večeří."

Na ta slova musela se Bohdanka posadit a povečeřet. Bylo to kuřátko, co k večeři dostala.

Když se najedla, promluvil bratr Slunce: „Panenko, kostičky nenech ležet, seber je a vezmi s sebou, budou ti k dobrému."

Bohdanka uposlechla a kostičky do zástěry svázala. Ještě si trochu odpočinula, a když noc přecházela, přijel Slunce se zlatým vozem, Bohdanka sedla do něho, a již jela přes hory a doly. Kolik hodin jízda trvala, než se octli ve tmavém údolí, kolkolem vysokými skalami obklopeném, bylo by těžko vypočíst. Tam ji zlatovlasý mládenec z vozu sesadil. „Nyní si pomoz sama!" řekl a zmizel.

Bohdanka se ohlédla kolem sebe, a když viděla ty vysoké skály a to prázdné údolí, nevěděla, kde má bratry hledat. „Snad jsou na některé skále," pravila sama k sobě, „ale jak tam nebohá vylezu?" I chodila od jedné ke druhé, až se u té zastavila, která se zdála být nejpřístupnější. Aby mohla snáze lézt, vykasala si sukně, ale vtom jí ze zástěrky vypadly kuřecí kosti. A hle, jaký to div! Z kostiček udělal se žebřík, dosahující až na vrchol skály. Bohdanka začala po příčkách hbitě lézt, až se šťastně na poslední dostala a v jeskyni se octla, kde hned na první pohled viděla, že obydlí bratrů našla. Stálo tam sedm postelí, uprostřed stůl a na něm bylo pro sedm osob prostřeno. Jídla tu bylo dost a oheň ještě nevyhasl. Honem tedy vybrala Bohdanka, co potřebovala, a začala strojit sedmero jídel, pro každého bratra jiné. Když byla s vařením hotova, postavila jídla na stůl, svlékla matčin prsten z prstu a položila jej pod talíř, který byl na prvním místě, neboť se domnívala, že tam jistě nejstarší bratr sedět bude. Potom všecko urovnala, skrčila se za jednu postel a čekala, až bratři přijdou. Netrvalo to dlouho a bratři krkavci přišli z lovu domů.

„Co to!" zvolal první. „Jídla na stole, kdo je připravil?"

„A pohleďte pak, bratři, ta jídla jsou jako schválně pro nás připravena, každý má, co nejraději jídá," zvolal druhý.

„Bratři, bratři, tu je matčin prsten, musí tu být někdo z domu," vykřikl radostně nejstarší, když nadzvedl přiklopený talíř a našel prsten.

„Tedy hledejme po jeskyni," navrhl Jaroslávek. Všichni se na ta slova obrátili a hledali, a tu za sebou Bohdanku spatřili. „Kdo jsi?" ptali se jedním hlasem.

„Vaše sestra Bohdanka; nesu vám pozdravení od matky a od otce; abyste mi ale uvěřili, dala mi matka svůj prsten."

„Ó, my ti věříme, žes naše sestra, kdo jiný by se k nám odvážil!" zvolali bratři. Hned jí udělali místo u stolu, a když mezi nimi seděla, musela vypravovat, co se doma od jejich zmizení stalo, což ona mileráda učinila. Poté se bratrů zeptala, jak by je mohla vysvobodit.

„To je těžká úloha, ač se ti bude lehkou zdát," povídal nejstarší z nich. „Chceš-li nás, milá sestro, vysvobodit, musíš nám ušít každému po košili.

Musíš však len sama zasít, vyplít, vytrhat, připravit i sepříst, předivo sama utkat, plátno vybílit a košile z něho ušít. Při tom všem nesmíš ale slova promluvit, ať se s tebou cokoliv děje. Troufáš-li si to udělat, vysvobodíš nás."

„To není tak těžká věc; všecky ty práce já dobře umím, a mlčet mi nebude zatěžko, když vím, že vás tím vysvobodím," odpověděla na ta slova Bohdanka.

Za to bratři div jí ruce nezulíbali. Po večeři udělali své sestřičce lože a ona brzy usnula.

Ráno po snídani dal jí bratr skřínku s lněnými semínky a řekl: „Nyní musíš od nás pryč, milá sestro; chceš-li nás vysvobodit, vezmi ta semínka, pojď s námi a my ti místo k setí sami ukážeme."

Bohdanka byla svolna učinit, jak bratr pravil, vzala skřínku do ruky a kráčela za ním. Když přišli do pěkného údolí, vykázali jí bratři pole k setí lnu a dutou vrbu k obývání, potom se s ní rozloučili a odešli do své jeskyně. Bohdanka hned pole připravila a semínka zasila. Mezitím co semena vzcházela a len povyrůstal, chodila po údolí a po lese anebo krášlila své obydlí. O pokrmy se starat nemusela, neboť pokaždé včas měla snídani, oběd i večeři ve vrbě, a ač věděla, že jí to bratři nosí, přece žádného neviděla. Brzy len tak vzrostl, že jej musela Bohdanka plít, a tu bylo na čas práce dost. Od pletí až k trhání lnu opět doba uplynula a Bohdanka měla zase plné ruce práce. Pilně prostírala len na rosu, obracela jej, a když byl odrhnut, zklepán a zvochlován, byl měkký jak hedvábí. Nářadí k tomu, jakož i vřeteno a přeslici s kuželem našla v pravý čas ve vrbě. Nyní měla již všecek len v žemních a mohla začít příst. Sedla tedy k přeslici, a již se vřeténko točilo jako čamrda; vzpomněla si přitom na své rodiče, jak sedávala s matkou a Dorotkou při přeslicích a otec jak všelicos povídal nebo čítal.

Teď budou sedat sami, myslila si v duchu, a budou na mě vzpomínat, kde asi jsem a jestli mě do smrti uvidí. Ráda bych byla, kdyby do zítřka úkol můj hotov byl, ale to není možná. Však uplyne čas co nevidět, a pánbůh nedopustí, aby se nás rodiče nedočkali. Přitom utřela slzy, které jí do očí vstoupily, zástěrou, a když ji zase spustila, viděla před sebou psa, který okolo ní čichal a do štěkání se dal. I vystoupila z vrby a koukala, je-li kdo nablízku, komu by pes ten náležel, a tu viděla zdaleka kočár přijíždět. I schovala se do vrby a začala psa odhánět, ale ten pryč jít nechtěl a neustále štěkal. V kočáře seděl mladý pán, který se z cesty do svého zámku vracel a do údolí toho zabloudil. Když slyšel psa štěkat, poslal kočího, aby se podíval, co to znamená. Kočí šel, a když viděl Bohdanku ve vrbě sedět a příst, ptal se jí, kdo je a proč v té vrbě sedí.

Ale Bohdanka zavrtěla hlavou a ukázala na ústa, že je němá. Na to znamení se kočí k pánu svému vrátil, a co viděl, vypravoval s doložením, že je ta němá panna překrásná. Pán ihned poručil, aby kočí k vrbě zajel; tam pak skočil z vozu a k panně vkročil. Jako dříve kočímu, ukázala Bohdanka nyní i pánovi, že mluvit nemůže; ten ale nedbaje na to umínil si, že vezme krásnou přadlenu s sebou, neboť se mu velice zalíbila. Tento svůj úmysl také ihned Bohdance vyjevil.

Děvče se ovšem toho velice zaleklo, ale v okamžení vzpomnělo na slova bratrova, že musí trpělivě a mlčky všecko snášet, cokoliv se stane, a odhodlaně se poddala pánově vůli.

Pán pln radosti, že se děvče nezdráhá, nemeškal a podle jejího ukázání dal všecek len, jakož i přeslici a vřeteno, na vůz odnést. Když se Bohdanka i on posadili, švihl kočí do koní a ti uháněli v jednom kvapu.

Mlčky přijeli k jeho zámku; ona mluvit mohla a nesměla, on mluvit směl, ale nemohl samým zalíbením. Služebníci hleděli s podivením na Bohdanku, když ji pán z vozu dával a poroučel, aby len a přeslici za nimi nesli. V domě jim vyšla vstříc stará hospodyně, nevlastní to sestra pánova. Vítala je, ale v duchu žehrala. Byla to zlá osoba, která na světě nikoho nemilovala kromě sebe.

Bohdance se vedlo v zámku dobře a domácí pán by jí byl pomyšlení udělal. Viděla dobře, že ji miluje, a nebylo jí to protivné. Naopak. I ona se do něj zamilovala.

Proto však přece na své bratry nezapomněla, pilně předla, a ani tehdy slova nepromluvila, když se jí milovaný mladík tázal, chce-li být jeho ženou. Oni si však i beze slova rozuměli, neboť když od ní pán odcházel, poručil sestře, aby dělala přípravy k svatbě. Té to ale nebylo po chuti, že si bratr

vezme neznámé děvče, proto mu to na všelijaký způsob vymlouvala, ale ten-
tokrát se zmýlila. Když viděla, že je všecko domlouvání marné a že bratr ji-
nak nedá, myslila: Ať si ji tedy vezme, lépe tu němou prostou dívku než
sobě rovnou, však ona mi panování v domě nepřekazí, neopováží se nade
mne postavit; a kdyby přece, potom bych se postarala o prostředek, jak jí to
překazit.

   To si myslela ta nenávisti plná dračice a jakoby s největší chutí přípravy
k svatbě činila. I Bohdanka musela na několik dní přádlo odložit a místo
lnem se svatebním šperkem a věncem obírat, hosty vítat a domácí paní
představovat. Vpravila se tak brzy do všeho, co jí bylo nové, že sám její
manžel jinak nemyslil, než že z panského rodu vyšla. Sestru manželovu brzy
prohlédla, nenechala to však na sobě znát, byla k ní přívětivá a laskavá, ale
v domě poroučela nejvíce sama, a kde mohla, učinila dobrodiní. Služebníci

poznali, jak dobrou paní mají, a brzy jí všichni blahořečili. Manžel jí kolikrát říkal, aby tak pilně nepředla, že to nemusí být; ale ona si to vymluvit nedala a naznačila mu, že by byla nešťastná, kdyby jí to nedovolil. Od té doby mohla dělat, co chtěla.

Když byla s přádlem hotova, dala si postavit v pokoji stav a začala tkát. Nebylo to nic divného, neboť tenkrát i ty nejvznešenější paní všechny domácí práce vykonávaly. Za nějaký čas cítila se být Bohdanka matkou, a tu dosáhlo štěstí jejího manžela nejvyššího stupně a již si nic jiného nepřál. Bohdanka ale přece jedno přání ještě měla, a to se již k cíli chýlilo, neboť bylo již plátno vybílené a košile se šily. V domě chodila ale ještě jedna osoba, kterou to těšilo, že přijde mladý dědic. To byla sestra pánova; v její jedem skrz naskrz napuštěné duši zrodil se hrozný plán. Lísala se k Bohdance a tak upřímně se k ní stavěla, že ta lsti a úskoky neznající duše jí uvěřila.

Když docházel již čas, dostal pán od přítele list, aby mu v jedné při nápomocen byl a na několik dní ho navštívil. Nerad opustil v tu dobu svoji drahou Bohdanku, ale nemohl to příteli odepřít. I přikázal přísně své sestře, jakmile se co přihodí, ať v okamžení rychlého posla k němu pošle. Ta slíbila, že na všechno v domě pečlivě dohlédne, a tak se pán rozloučil s milovanou chotí a odejel.

Za tři dni po jeho odjezdu porodila Bohdanka synáčka. Nikdo ji neopatroval, jen švagrová. Jak se dítě narodilo, zacpala mu ústa, zaobalila do plenky a pustila oknem. Namísto něho podstrčila kotě. Bylo to ovšem hrozné leknutí pro matku a ta nejbolestnější rána, která ji mohla potkat. Ale co měla říci? Žádný u ní nebyl, nikdo nevěděl, zdali je to pravda či nepravda, a tak musela mlčet, ač tušila, že to není možné, aby ji pánbůh tak zkoušel. Švagrová ale hned list bratrovi napsala, a nejenže nešťastný porod manželčin vylíčila, ale i hroznou lež si vymyslila, že totiž jakýsi divný muž u postele se octl, a když Bohdanku objal, že se též v ošklivou ženu proměnila a s ním v neznámé řeči rozprávěla. Nakonec mu připomněla divé ženky a dokládala, že Bohdanka takovou je, a nechce-li být nešťastný, aby ji dal upálit. Též napsala lístek bratrovu příteli, aby ho u sebe zdržoval a k ženě ho nepouštěl, že je divá.

Když Bohdančin manžel dopis obdržel, nevěděl v zoufalosti, co počít, ale přítel mu to rozmlouval a žádnou mocí od sebe jej pustit nechtěl, dokud se neuklidní a vše nerozváží. Přítel napsal odpověď, kde popsal bratrovo zoufalství a slíbil, že ho hned od sebe nepustí.

Zatím sestra hrozné pohádky o švagrové roztrousila, že se i služebnictvo zděsilo a bálo se k ní jít, ačkoliv ji všichni tak srdečně milovali. Když dostala psaní, řekla, že je od bratra a že jí oznamuje, aby se divá žena hned na hranici upálila. Rozkaz se měl bez meškání vyplnit a hranice byla co nevidět hotova. Zatím seděla Bohdanka ve své ložnici a došívala slzíc u poslední košile rukáv. O všech těch bezbožnostech švagrové neměla ani polovic vědomostí, ač poznávala, že se v ní zmýlila a že ona všeho toho zlého je původcem. Tu vkročí k ní švagrová, a oznamujíc rozkaz manželův, poroučí, ať se k smrti hotoví. Bohdanka dobře věděla, že to není poručení manželovo, ale co si měla počít samojediná proti davu rozlíceného lidu, který se již do světnice dral, aby ukrutnou čarodějnici spatřil. Znamením prosila ještě, aby ji nechala švagrová jen asi sedm stehů došít, které na rukávu chyběly, ale ani to jí dovoleno nebylo. Složila tedy košili k druhým a vzdychla: „Moji ubozí bratříčkové, já svůj úkol skončila, a kde jste vy?"

V tom okamžení strhl se hrozný šumot, lid se rozestoupil, do světnice vlétlo sedm krkavců s hezounkým děťátkem na křídlech a to děťátko Bohdance do náručí složili.

„Zde, drahá sestro, jsme se ti poněkud odsloužili, a nyní nám honem košile přehoď!" Tak řekl nejstarší bratr.

Radostí opojena vzala košile a jednu po druhé na bratry hodila. V tom okamžení se udělali z nich statní mužové a mládenci, jen tomu nejmladšímu Jaroslávkovi zůstalo na rameně sedm pírek, protože sestra nemohla těch sedm stehů došít. V největší radosti zaklepou na dvoře koňská kopyta, a v okamžení nato objímá Bohdanka svého manžela a klade mu do náručí zachráněného synka. Kdyby mohl svou ženu ještě více milovat, jistě by to byl udělal, když se od švagrů dověděl, co pro jejich vysvobození podnikla. V radosti a laskavém hovoru zapomněli na pánovu sestru, ale zato pamatovali na ni služebníci, kterým ona tak nedobrou paní byla. Když viděli, že je příčinou všeho a nyní skrze lid se prodírá, aby prchnout mohla, vzali ji za vlasy a bez milosrdenství na hranici hodili a podpálili.

Již byla ztracena, když se to bratr a Bohdanka dověděli. Bohdanka se lekla, ale manžel ji káral: „Děkuj bohu, že nás jí zbavil; ona mně tak hrozné psaní poslala, že jsem se div nezbláznil. Ale přece jsem v tebe důvěru neztratil; navzdory všemu zdržování jsem sedl na koně a ujížděl za tebou. Ale přijel bych pozdě, kdyby tě tví bratři nezachránili.“

„Nyní na to všecko zapomeňme, vždyť jsme šťastni,“ odpověděla Bohdanka, líbajíc své krásné dítě.

Její manžel prodal panství a se ženou a svými švagry odebral se k jejich rodičům. Jaká to byla radost pro rodiče, když se všecky děti, které dávno pokládali za ztracené, vrátily, a s nimi ještě nový syn a vnuk, to nelze vypsat. Šťastnější už ani být nemohli.

Sůl nad zlato

Byl jeden král a ten měl tři dcery, které choval jako oko v hlavě. Když mu začínala hlava sněhem zapadat a viděl přicházet stáří, začal přemýšlet, která z dcer by se měla po jeho smrti stát královnou. Dělalo mu to nemalé starosti, protože měl všechny tři stejně rád. Konečně připadl na to, aby tu dceru za královnu ustanovil, která ho nejvíce miluje. I zavolal k sobě své tři dcery a promluvil k nim: „Dcery moje! Jsem již starý a nevím, jak dlouho mezi vámi budu. Ale než zemřu, chci ustanovit, která z vás bude po mé smrti královnou. Dříve však bych chtěl vědět, jak mě máte rády. Řekni, dcero nejstarší, řekni ty nejdříve – jak miluješ svého otce?"

„Otče můj, jste mi milejší nad všechno zlato," odpověděla nejstarší a pěkně otci ruku políbila.

„A ty, dcero prostřední, jak ty miluješ svého otce?" obrátil se král ke své druhé dceři.

„Otče můj, miluju vás nad všechno drahé kamení!" ujišťovala prostřední a tulila se k otci.

„A ty, dcero nejmladší, jak ty mě miluješ?" ptal se král Marušky.

„Já vás, můj milý tatínku, miluji jako sůl!" odpověděla Maruška a s láskou pohlédla na otce.

„Ty nehodná dcero, nejmilejšího otce miluješ jen jako sůl?" rozkřikly se na Marušku starší sestry.

„Jako sůl!" přisvědčila Maruška opravdově.

Král se na dceru náramně rozhněval, že ho má ráda jen jako sůl, takovou obyčejnou všední věc, kterou každý má a které si nikdo nevšímá. „Jdi, jdi mi z očí, když si mě tak málo vážíš!" rozkřikl se na Marušku a dodal: „A až nastanou takové časy, že bude lidem sůl vzácnější než zlato a drahé kamení, potom se vrať – pak budeš královnou!"

Poslušná Maruška, oči plné slz a srdce plné žalu, odešla ze zámku. Nevěděla, kam se má obrátit; dala se po větru, přes hory, přes doly, až přišla do hlubokého lesa. Kde se vzala, tu se vzala, na cestě pojednou stála babička. Maruška ji pěkně pozdravila, babička jí poděkovala, a když viděla, že je dívka uplakaná, ptala se, proč pláče. „Milá stařenko, co vám mám vyprávět, stejně mi pomoci nemůžete," odpověděla Maruška.

„Jen mně to pověz, děvče, třeba ti poradím. Kde je šedý vlas, tam je moudrý hlas," pravila jí babička. Maruška babičce všechno vyprávěla a v pláči dodala, že nechce být královnou, ale jen to si přeje, aby se otec přesvědčil, že ho má velice ráda. Babička byla moudrá a věděla již napřed, co jí Maruška bude povídat. Vzala ji za ruku a zeptala se, zda by k ní nechtěla jít do služby. Maruška nevěděla, kam by hlavu složila, a proto ráda přijala. Moudrá babička ji dovedla do lesní chýše, nejprve jí dala najíst a napít, a potom se zeptala: „Umíš, má Maruško, ovce pást? Umíš příst a plátno tkát?"

„Neumím," přiznala Maruška, „ale když mi ukážete, jak se to dělá, jistě se všemu naučím."

„Budeš-li poslušná a budeš-li dělat, co ti řeknu, přijde tvůj čas. Doba dobu najde, až celý svět projde," řekla moudrá babička. Maruška slíbila, že bude ve všem poslouchat, a hned se dala do práce.

Mezitím, co Maruška u babičky sloužila, žily její starší sestry v samých zábavách. Ustavičně se lichotily k otci a loudily na něm nové a nové věci. Starší dcera se celé dny jen do drahých šatů oblékala a zlatem se krášlila, prostřední dcera si jenom v tanci a hrách libovala. Hostina stíhala hostinu a dcery šly z radovánek do radovánek. Otec záhy zpozoroval, že je nejstarší dceři milejší zlato než otec a prostřední že má raději drahé kamení. Často vzpomínal na Marušku, jak se o něho vždy starala, a poznal, že právě ji by nejraději viděl na královském trůně. Hned by byl pro ni poslal, ale nebylo po ní ani vidu, ani slechu. Když si však připomněl, že ho měla ráda jen jako sůl, znovu se proti ní zatvrdil.

Jednoho dne měla být opět velká hostina. Najednou

přiběhl ke králi kuchař – celý polekaný. „Pane králi, pane králi, stala se velká nehoda," bědoval, „všechna sůl se rozmočila. Čím budeme solit?"

„Pošlete pro jinou," řekl král.

„To bude dlouho trvat, než se vozy vrátí z cizí země. Čím budu solit do té doby?"

„Sol něčím jiným," pravil král.

„Co solí tak jako sůl, pane králi?" ptal se kuchař.

Král nevěděl, co by odpověděl. Rozhněval se a rozkázal kuchaři, aby vařil bez soli. Kuchař si myslel – jak si pan král přeje, tak to udělám – a uvařil jídla bez soli. Byla to divná, neslaná hostina! Hostům pranic nechutnalo, ačkoli jídla byla dobře připravená. Král se proto znovu rozhněval, ale nebylo to nic platné.

I poslali posly na všechny strany pro sůl, ale všichni se vrátili s prázdnou a vyřizovali králi, že se všechny zásoby rozmočily, že je všude nedostatek soli, a kdo ji má, že nedá, ani kdyby špetku zlatem platil. Poslali tedy vozy pro sůl do daleké země. Král poručil kuchaři, aby zatím vařil jen taková jídla, která není třeba solit. Kuchař si řekl – jak si pan král přeje, tak udělám – a vařil jen samá sladká jídla. Ani takové hostiny však hostům nechutnaly. Jeden po druhém se s králem rozloučil a odjel. Dcery se nad tím náramně trápily, ale co platno, král nemohl nikomu nabídnout ani chleba se solí. Lidé toužili jen a jen po soli, chodili jako zvadlí. Sám král a jeho dcery onemocněli. Sůl se stala tak drahou, že by lidé za špetku soli platili tím nejvzácnějším, zlatem i drahým kamením.

Teprve nyní král poznal, jak vzácný boží dar je sůl, kterou dříve za nic neměl. Teprve nyní si uvědomil, jak byla Maruška moudrá a jak jí ublížil.

Mezitím se vedlo Marušce dobře, žila a pracovala v lesní chaloupce. Netušila, jak se vede otci a sestrám, moudrá stařenka však věděla o všem. Jednoho dne pravila Marušce: „Děvče moje – doba dobu najde, až celý svět projde. Tvoje doba došla, je čas, aby ses vrátila domů."

„Stařenko moje dobrá, jak mám jít domů, když mě otec nechce?" řekla Maruška a dala se do pláče. Stařenka jí vyprávěla, co se doma stalo, a protože se sůl stala dražší než zlato a drahé kamení, radila Marušce, aby se

vrátila k otci. Maruška s lítostí opouštěla hodnou babičku, od níž se mnohému naučila, ale stýskalo se jí po otci.

„Poctivě si mně, Maruško, sloužila," pravila jí při loučení babička, „chci se ti dobrým odměnit. Řekni tedy, co si ode mne žádáš?"

„Nic si nežádám, jenom trochu soli, kterou bych otci přinesla."

„Všechna přání ti mohu vyplnit, opravdu si nic jiného nežádáš?" ptala se ještě jednou stařenka.

„Nic nechci, jenom sůl," odpověděla Maruška.

„Když si tolik soli vážíš, ať ti nikdy nechybí. Tady máš proutek, až se ti vítr ohlásí, jdi, kam tě povede, jdi přes tři doliny, jdi přes tři vrchy – potom se zastav a švihni proutkem o zem. Zem se ti otevře, půjdeš dovnitř, a co tam najdeš, to bude tvé věno."

Maruška vzala proutek, schovala si ho a pěkně poděkovala. Babička jí dala ještě plnou mošničku soli a doprovodila ji přes les. „Zůstaň dobrá a poctivá, děvečko moje, a dobře ti bude navěky," řekla stařenka na rozloučenou. Maruška jí chtěla poděkovat, ale než se nadála, stařenka zmizela. Dívka se tomu velice podivila, ale touha po otci ji hnala k domovu. Na zámku ji nikdo nepoznal, že byla chudě oblečená, dokonce ani ke králi ji nechtěli pustit.

„Jen mě pusťte, nesu panu králi dar vzácnější nad zlato a drahé kamení, nesu mu lék, který ho uzdraví."

Když přišla k nemocnému králi, žádala, aby jí dali chléb. „Ale nemáme sůl," řekl král smutně.

„Já mám sůl," řekla Maruška, ukrojila krajíc chleba, sáhla do mošničky, posolila ho a podala králi i s mošnou.

„Sůl!" zaradoval se král. „Jak se ti odměním, to je vzácný dar, žádej, co chceš, všechno dostaneš."

„Nic nechci, tatínku, jen mě mějte rád jako tu sůl!" odpověděla Maruška a odkryla si hlavu. Když ji král poznal, div se neskácel. Prosil Marušku za odpuštění, ale ona ho objímala, hladila a na nic zlého nevzpomínala.

Hned se po zámku i v městě rozneslo, že přišla nejmladší králova dcera a že přinesla sůl. Každý se radoval, jen starší sestry se netěšily. Maruška jim nic nevyčítala, měla radost, že otci i druhým pomohla. Každému, kdo přišel, dala z mošničky trošku soli – a mošnička byla stále plná, soli neubývalo.

Král se uzdravil a takovou radost měl ze své nejmladší, že dal hned svolat moudré starce z celého království a ustanovil za dědičku svého trůnu Marušku. Když vyhlásili Marušku pod vysokým nebem královnou, pocítila, že jí teplý vítr na tvář zavál. Vzpomněla si, co jí babička povídala, vzala proutek a vydala se na cestu. Šla po větru, jak měla přikázáno, a když přešla tři doliny a tři vrchy, zastavila se a šlehla proutkem o zem. Země se rozestoupila a Maruška do ní vešla.

Přišla do ohromné síně, která byla celá jako z ledu; z chodeb přibíhali malí permoníčkové s hořícími loučemi a volali: „Buď nám vítána, královno, už tě čekáme. Naše paní nám rozkázala, abychom ti všechno tvoje bohatství ukázali!" Štěbetali okolo ní, poskakovali, mávali loučemi, lezli po stěnách nahoru a dolů jako mušky, a stěny všude v záři světel svítily jako drahé kamení. Maruška byla všecka udivena a jako oslepena tou krásou. Permoníčci ji vodili po chodbách, kde visely od stropu stříbrně se třpytící ledové rampouchy, zavedli ji do zahrady, kde byly červené ledové růže a přepodivné květy. Jednu takovou růži utrhli a dali ji královně. Maruška k ní přivoněla, ale nic necítila. „Nikdy jsem takovou krásu neviděla."

„To je všecko sůl," řekli mužíčkové.

„Cožpak sůl roste?" divila se královna a myslila si, že by bylo škoda z toho brát. „Ano, roste, a kdybys pořád brala, nikdy ji nedobereš."

Maruška permoníčkům pěkně poděkovala a vyšla ze země ven. Zem za ní zůstala otevřená. Vrátila se domů a ukázala otci podivnou růži. Starý král poznal, že ji babička obdarovala bohatším věnem, než by bylo věno královské.

Maruška na babičku nezapomněla. Dala zapřáhnout do krásného kočáru a s otcem si pro ni jela, aby ji vzala do zámku za to její velké dobrodiní. Cestu k chaloupce dobře znala, ale po chaloupce nebylo ani vidu, ani slechu.

Křížem krážem les prochodili, jako makové zrnko chaloupku hledali, všechno marně. Tu teprve Maruška poznala, kdo se jí ujal.

Sůl v mošničce se přece jenom dobrala, ale Maruška věděla, kde sůl roste, a i když z krásných síní hodně brali, nikdy ji nedobrali. Starší sestry Marušce to štěstí nepřály, ale nebylo jim to nic platné, i kdyby se třeba zlostí rozsypaly. Otec by byl nejraději svoji Marušku na rukou nosil a všichni z království ji milovali. Maruška zůstala vždycky tak skromná a hodná, jak bývala, a do smrti nezapomněla na svou hodnou babičku.

Valibuk

Bylo nebylo, kdysi v jedné vesnici porodila chudá žena dítě tak silné a velké, že podobné nikdo nikdy neviděl. Sousedé se přicházeli podívat, ba i do okolních vesnic se ta zvěst roznesla a lidé spěchali, aby spatřili podivuhodné dítě. Nebylo pamětníka, že by někdy některá žena takové dítě porodila.

„No, ženo, víš co?" řekl šťastný otec. „Ty toho chlapce budeš kojit devět roků, aby z něho vyrostlo něco pořádného."

„Když si to přeješ, ať je po tvém," odpověděla žena a při tom zůstalo. Chlapec rostl den ode dne tak, že rodiče nevycházeli z údivu. Po třech letech ho matka zavedla do lesa k vysokému smrku, aby jej vytrhl ze země i s kořeny; ale chlapec neměl dost síly. Dovedla jej zpátky domů a znovu kojila tři roky. V šestém roce šla matka s chlapcem opět do lesa, to už menší smrky vytrhoval jako konopí, ale s duby a buky si poradit nedovedl. Matka kojila chlapce ještě další tři roky. Když šel po devíti letech chlapec do lesa, trhal největší buky i s kořeny a obracel je korunami dolů. A tak mu dali jméno Valibuk.

V sedmnácti letech nemohl už Valibuk doma vydržet. Rodiče pro něho neměli ani dost práce, ani dost jídla.

„Poslouchejte, milí rodiče!" řekl Valibuk jednoho dne. „Kdo za pecí sedí, nic o světě neví. Prosím vás, pusťte mě na rok na dva do světa na zkušenou, chtěl bych poznat, jak lidé ve světě žijí. Nebojte se, že na vás zapomenu, poctivě se o vás postarám, až zestárnete."

„Nuže, jen si jdi," řekl otec, „my ti bránit nebudeme. Na sebe buď opatrný a lidem neubližuj."

Valibuk se rozloučil se svými rodiči, odešel a ještě téže noci dorazil do jedné osamělé krčmy. Seděli tam dva pocestní za stolem, Valibuk k nim přisedl.

„Dobří lidé, odkudpak jdete?" zeptal se jich.

„Odkudkoliv," odpověděli oba pocestní.

„A jakého jste řemesla?"

„Já jsem Skálobij," odpověděl jeden z nich, „když chytím mlýnský kámen do ruky, zmáčknu ho tak, že z něho teče mléko."

„A já," povídal druhý pocestný, „já jsem Železobij, z několika kusů železa udělám v mžiku jeden."

„No a ty, jakého jsi ty řemesla?" ptali se oba pocestní.

„Já jsem Valibuk; vzrostlý les vytrhám jako nejtenčí konopí," řekl Valibuk, obrátil se k pocestným a dodal: „Je-li tomu tak, bratříčkové, buďme dobrými přáteli. Chci s vámi jeden chleba jíst."

„I my chceme s tebou jeden chleba jíst a nikdy tě neopustíme," odpověděli Skálobij a Železobij.

Ráno se vydali všichni tři na cestu. Nešli dlouho, když tu potkali hospodáře, jejichž vozy vězely v bahnitém strmém úvoze.

„Co se vám stalo?" zeptal se Valibuk.

„Vezeme železo a uvízli jsme v bahně. Všech osmatřicet koní jsme zapřáhli k jednomu vozu a nemůžeme s ním pohnout!"

„Jen se netrapte," řekl jim Valibuk, „vysvobodíme vás, když nám dáte tolik železa, kolik jeden z nás odnese." Hospodáři souhlasili.

„Naberte si, kolik unesete. Jen nám z toho bahna pomozte."

„Vypřáhněte dobytek," rozkázal Valibuk a začal jeden vůz po druhém vynášet na suchou zem. Hospodáři vlastním očím nevěřili a s otevřenými ústy hleděli na Valibuka. Když Valibuk všechny vozy i s nákladem z úvozu vynesl, řekl: „Práci jsme vykonali, teď dejte, co jste slíbili," a bral z jednoho vozu po druhém železo, až hospodářům nic nezůstalo.

„Je toho málo," řekl Valibuk, „ale víc už nechci. Teď se starejte, jak odměníte mé dva kamarády." Hospodářům po těch slovech vyvstal na těle studený pot. Skálobij natáhl ruce, aby pobral i vozy, koně a lidi, ale Valibuk mu v tom zabránil: „Dej pokoj; stačí nám to železo." Hospodáři byli rádi, že zachránili koně a vozy, nemeškali, zapřáhli a rychle odjeli.

„Chlapci," prohlásil Železobij, „víte co? Já z toho želízka uhnětu tři cepy a půjdeme mlátit."

Valibuk si sedl vedle Skálobije na skálu a díval se, jak Železobij železo láme, mísí, až bylo měkké jako těsto, jak z něho hněte cepy a hole. Hotové cepy vážily dvě stě sedmadevadesát centů. Kamarádi je vzali a šli k jednomu pánovi, že by mu vymlátili stohy pšenice.

„Kdyby vás bylo aspoň sto, mohli byste začít, ale tři si s mým obilím neporadí," řekl jim pán.

„Nemluvte tak," ozval se Valibuk, „jestli vám do zítřejšího večera obilí nevymlátíme, dělejte s námi, co chcete."

„Nu dobrá. Jakou chcete odměnu?" zeptal se pán.

„Kdopak ví, jak platíte," řekl Železobij, „ale dejte nám za tu námahu, co sami odneseme, a třebas to ujednejme i písemně."

Pán jim to milerád písmem potvrdil domnívaje se, že mu ani patnáct korců neodnesou. Milí chlapci, sotva se rozbřesklo, vzali cepy a začali mlátit. Nebrali snop po snopu, ale mlátili do celého stohu takovou silou, že za nedlouhý čas celý stoh na prach rozmlátili. Tak šli od stohu ke stohu; kouřilo se okolo nich jako z komína.

„Chlapci," pravil Valibuk, když byli hotovi s mlácením, „lopaty nemáme, vyfoukejme plevy." Foukali chlapci, až sláma lítala široko daleko a na zemi zůstalo jen čisté zrno.

Když pán přišel, hněval se, že mu slámu rozfoukali, ale Skálobij pravil: „Čeho litujete? Ze slámy nemáte nic, ale z pšenice. A připravte nám odměnu."

„Už je připravená. Ale vy nemáte pytle."

„Půjčte nám je tedy; poctivě vám je vrátíme," ozvali se chlapci.

„Já na půjčky nic nedám," řekl pán.

„Tak si tedy to zrno uložíme do vaší sýpky."

Pán jim to dovolil. Chlapci šli a všecku vymlácenou pšenici nasypali do jedné velké sýpky. Potom pozavírali dobře okna i dveře, a když měli všecko připravené, Skálobij objal sýpku, položil si ji na záda a řekl pánovi: „Mějte se dobře." V tu chvíli byli všichni tři ti tam.

Pán se tomu náramně podivil, ale ještě víc ho to mrzelo.

„Hej," zvolal po chvíli, „pusťte za nimi býka, ať je nabere na rohy!"

Čeledín vypustil býka a ten se pustil tryskem za třemi kamarády.

„Ohlédněte se: co to za námi dupe?" řekl Skálobij kamarádům.

„Hleďme," odpověděl mu Železobij, „pustili za námi toho velikého býka."

„Nic se neděje, jen jděte," přikázal jim Valibuk, chytil cep, a když k němu býk doběhl, udeřil ho po hlavě, že se býk hned nosem do země zaryl. Potom ho vzal Valibuk za zadní nohy, přehodil si ho přes rameno a šli dál.

„Hej," zvolal po chvíli Železobij, „nechme tu všechno a dejme se na útěk, pustili za námi dva divoké vepře."

Ale Valibuk kázal opět chlapcům, aby šli napřed, počkal na vepře, zabil je cepem a přehodil si je přes rameno.

Po chvíli zase praví Železobij: „Hej, teď za námi jede vůz tažený čtyřmi vraníky! Co budeme dělat?"

Sotva to dopověděl, už jim byl vůz v patách. Tu se Skálobij rychle obrátil a hodil sýpku na vůz, divže se to všecko nezlámalo. Valibuk rozprášil lidi cepem a Železobij uchopil opratě. Býka a vepře naložili taky na vůz a pomalu jeli k domovu. Doma se spravedlivě rozdělili.

A hned šli hledat jinou práci. Tentokrát se vydali do velkého města. Vyptávali se jednoho měšťana, co je tam nového.

„Ach, raději se neptejte," řekl měšťan, „naše město má velký smutek, ale největší zármutek postihl našeho pana krále, protože se ztratily jeho tři dcery. Chodily se každý den koupat, a kdopak ví, kam se poděly. Proslýchá se, že jim jedna ježibaba krásu záviděla, a proto je zaklela, a tři draci je do jedné díry zatáhli. Náš král žalem neví, co si počít. Rozkázal celé město potáhnout černým suknem a slíbil, že dá zachránci svých dcer jednu z nich za ženu a půl království k tomu."

„To je něco pro nás. Pojďme ke králi!" zvolal Valibuk, jak to zaslechl.

„Nejjasnější králi," řekl Valibuk, když předstoupili před krále, „ač jsme lidé cizí, přišli jsme vás ve velkém zármutku potěšit. Slyšeli jsme o osudu vašich dcer a osvobodíme je, když dodržíte své královské slovo a dáte nám je za ženy. Na cestu nám dejte provaz tři tisíce sáhu dlouhý, abychom se mohli spustit do těch nejhlubších hloubek, jáhly na kaši, tři bochníky chleba a dvanáct volů."

„Všechno vám dám," zvolal král, „jen mi dcery vysvoboďte."

Kamarádi si naložili jídlo na záda, voly hnali před sebou a ubírali se do hlubokých lesů. Dlouho chodili po lesích, až přišli na jednu louku.

„Tady zůstaneme," pravil Valibuk, „a trochu se porozhlédneme, jestli tu není nějaká díra dolů, do jiného světa!"

Ostatní souhlasili. Valibuk a Železobij šli hledat díru a Skálobij měl za úkol připravit večeři. Zažehl oheň, dal do kotle jáhly na kaši, zabil vola a začal ho opékat. Jak tu tak samotinký u ohně sedí, kaši vaří a vola opéká, zaskučí nad ním na vysoké jedli baba Loktibrada.

„Vaříš kaši, vaříš, ale jíst ji nebudeš."

„Nevařím pro sebe, ale pro Valibuka," pravil Skálobij.

„Valibuk je daleko a já ti všechno seberu," zaskuhrala Loktibrada, seskočila ze stromu a Skálobije porazila, až se natáhl jak dlouhý tak široký. Pak mu kaši do posledního drobtu snědla a vola odnesla.

Sotva odešla, už Valibuk z vršku volal: „Uvařil jsi kaši a upekl vola?"

„Ech, čerta jsem upekl! Baba Loktibrada kaši snědla a vola odnesla," postěžoval si Skálobij chlapcům a vypravoval, co se mu přihodilo.

„Co jsi to za chlapa?" zlobil se Valibuk. „My jsme celý den na nohou a ty dáš jídlo nějaké ničemnici."

Druhý den pak zůstal u ohně Železobij a Skálobij s Valibukem šli hledat díru do podzemí. K večeru se vrátili.

„Uvařil jsi kaši, uvařil?" volal již zdaleka Valibuk.

„Uvařil, ale Loktibrada mi ji všechnu snědla," řekl smutně Železobij.

„Jste vy to ale baby," rozhněval se Valibuk. „Zítra půjdete hledat a já zůstanu u ohně."

Třetí den šli Železobij a Skálobij do lesa a Valibuk zůstal, aby vařil večeři. Natahal si buky, rozdělal oheň, kaši nasypal do kotle, vola napíchl na rožeň a začal péci. Mezitím udělal železnou past a položil ji k pekoucímu se volu. Vtom se objevila na jedli Loktibrada.

„Vaříš kaši, vaříš, ale jíst ji nebudeš!" zaskučela.

„Nevařím ji pro sebe, ale pro kamarády. Jen pojď a slez z toho stromu. Co jsi, kdo jsi?" Loktibrada se spustila ze stromu, ale v tom okamžení se chytila do želez.

„Aha! Tu jsi," zasmál se Valibuk, „však já ti tu kaši osladím!" A vzal svůj cep a bil Loktibradu, co mu síla stačila.

„Ouvej," naříkala Loktibrada, „už mě nebij! Dám ti zlata a bohatství, kolik jen budeš chtít!"

„Nic od tebe nechci, mám všeho dost," odpověděl Valibuk. Když se vrátili kamarádi, ptali se Valibuka, jak se mu vedlo.

„I dobře se mi vedlo, dobře; tady je kaše, tady pečeně a tamhle Loktibrada," řekl jim Valibuk vesele. „Jen pojďte, pojíme a pak se jí na něco zeptáme."

Když se najedli, zeptali se Loktibrady, kde je ta díra do

pekla." Takovou hrůzu na ni pustili, že by musela hned duši vypustit, kdyby jen nějakou měla.

„Ouvej, už mě nechte, povím vám, kde je ta díra, kterou hledáte," prosila.

„No dobře," pravil Valibuk. Sebrali se a šli ke skále, kterou jim Loktibrada ukázala. Skálobij se na skálu vrhl a odlamoval kámen po kameni, až se mu poštěstilo díru odkrýt.

„Kdo se spustí dolů?"

„Já půjdu," ozval se Železobij. Sotva ho však na dvě stě sáhů spustili, už škubal za provaz, aby ho vytáhli. Po něm se spustil Skálobij, ale také se nedostal dál než do poloviny.

„Když je tomu tak," řekl Valibuk, „půjdu tam já. Ale dříve mě nevytahujte, dokud prudce provazem netrhnu. A teď spouštějte!"

Když byl v polovici díry, ucítil puch a ten byl větší a větší, i pálit ho cosi začalo, až se dostal po velikých mukách na dno díry. Ohlížel se kolem sebe v tom podzemním světě – všude pusto, tma a palčivost neslýchaná. Dlouho se rozhlížel, až spatřil maličkaté světýlko v dálce před sebou. Šel dlouho k tomu světýlku, až uviděl skvostný zámek celý ze zlata a drahého kamení. Vešel dovnitř a ve světnici spatřil královu nejstarší dceru.

Kněžna se vylekala, když uviděla člověka; přece však se mile zeptala: „Co tu děláš, co tu hledáš, příteli drahý?"

„Tebe, krásná kněžno," řekl Valibuk, „bez meškání pojď se mnou."

„Nepůjdu s tebou, ale ty odtud odejdi, nebo se ti zle povede."

„Já se nezaleknu ničeho," řekl Valibuk. Vtom se strhl hluk, drak se vracel domů a svůj třicet centů těžký kyj hodil napřed, aby ho nemusel nosit.

Kněžna se strachem prosila Valibuka: „Ach, příteli drahý, schovej se rychle do komory, nebo tě můj muž sežere."

„Sežere nesežere," odpověděl Valibuk, přece se však na její prosbu schoval. Dříve však zdvihl kyj a hodil ho draku na třicet mil cesty nazpět. Drak ho zdvihl a nesl s mručením domů. Vstoupil do světnice, všechny kouty prohlédl a zařval: „Fí, člověčina tady čpí!"

„Ach," pravila kněžna; „kde by se tu člověk vzal. Však dobře víš, že se tu člověk nikdy neukázal a neukáže."

„Fí, fí, člověčina tady čpí! Sem s ním, nebo sežeru tebe, jinak svůj plamen neuhasím!" zařval poznovu drak a oheň mu sršel z huby.

„Ach drahý muži, buď milostivý k mému bratrovi, který mě přišel navštívit."

„Dobrá," zabručel drak, „odpustím tvému bratrovi, jen ať vstoupí a posvačí se mnou." V tom okamžení vstoupil do světnice Valibuk a drakovi se poklonil. „To jsi ty," ptal se drak, „kdo mi hodil můj kyj nazpět?"

„Já!" odpověděl Valibuk. K svačině donesl drak olověný chléb a dřevěný nůž a pobízel Valibuka, aby si ukrojil a pojedl, že půjdou změřit svoje síly.

„Tvůj chléb jíst nebudu, ale svou sílu ti ukážu!" řekl Valibuk. Potom se vydali bojovat na humno, které bylo zalité olovem.

„Švagře, popadni mě a vraž, co nejvíc můžeš, do toho olova!" Valibuk se nedal pobízet, chytil draka a vrazil ho do olova po pás. Drak z olova vyskočil a vrazil milého Valibuka do olova nad pás. Ale Valibuk z olova vyskočil a vrazil

draka do olova až po hlavy. Pak uchopil cep a všech šest hlav mu rozbil.

Vrátil se ke kněžně do světnice a pravil jí: „Krásná kněžno, potrestej mě, jak chceš, zabil jsem tvého muže."

„Ach, příteli drahý, jak se ti odměním, že jsi mě vysvobodil?" jásala kněžna, skočila k němu a líbala ho a objímala samou radostí.

„Dobrá," řekl Valibuk, „počkej na mě, než se vrátím, protože chci vysvobodit i tvoje sestry a odvést vás k vašemu drahému otci."

Přišel k druhému, ještě krásnějšímu zámku a vešel rovnou do světnice. Seděla tam prostřední dcera královská, všecka ztrápená.

„Ach, milý člověče, koho tu hledáš?" ptala se ho.

„Tebe, krásná kněžno," odpověděl Valibuk.

„Prchni odtud, dokud je čas, tady tě nic dobrého nečeká. Můj muž tě sežere."

Vtom povstal náramný hřmot. Devítihlavý drak si hodil domů svůj šedesát centů těžký kyj, aby ho nemusel nosit. Valibuk vyběhl před práh, kyj zvedl a hodil ho šedesát mil nazpět.

Drak bručel, že se mu kyj vrátil, a nesl ho domů. Kněžna zatím schovala Valibuka do komory. Drak vkročil hněvem rozpálen do světnice, prohlížel všechny kouty, plamen mu sršel z úst a řval: „Fí, člověčina tady čpí!"

„Ach milý muži, kde by se tu člověk vzal, vždyť víš, že tu člověk nikdy nebyl a nebude," odpověděla kněžna.

Ale drak duněl po světnici a znovu řval: „Fí, člověčina tady čpí! Dáš mi ho, nebo nedáš? Jestli mi ho sama nedáš, sežeru napřed tebe a potom toho člověka."

Ustrašená kněžna se vrhla na kolena a prosila: „Daruj milost mně i mému bratru, který mě přišel navštívit."

„Daruju vám milost," odpověděl drak, „jen ať tvůj bratr vejde, rád si s ním přátelsky popovídám."

Valibuk přišel, vítali se, jeden druhého přeměřil okem od hlavy až patě.

„Švagře, to ty jsi ten silák, který mi hodil můj kyj nazpět?"

„Ano, to jsem já," odpověděl Valibuk.

„Nu pojď, pojíme a po večeři změříme svoje síly."

K večeři přinesl drak železný chléb a olověný nůž. „Ukroj si, švagře, a posilni se, se mnou budeš mít práci," pobízel drak.

„Já jsem dost silný, silnější být nepotřebuji. Ale jestli ty potřebuješ, najez se," odpověděl mu smělý šohaj.

Drak jedl, až mu jiskry od zubů sršely. Valibukovi dala jídlo kněžna.

„Tak už pojďme a zkusme, kdo je silnější!" řekl drak, když se najedl.

Vyšli na humno, které bylo celé železné. „Napřed chytni ty mě, protože jestli popadnu dřív já tebe, mnoho času ti nezbude."

„Hleďme, ty si nějak troufáš," odpověděl Valibuk. „Jen začni ty sám." Drak popadl Valibuka a zarazil ho do železa až pod paždí. Ale Valibuk tak hbitě ze železa vyskočil, že polovici humna s sebou vytrhl. Tu se drak poděsil a prosil: „To by snad mohlo stačit, milý švagře!"

„Stačit by to mohlo," zvolal Valibuk rozhněván, „ale napřed ti musím ukázat, jak se zarážejí kůly ke stromům." Uchopil draka a s takovou silou ho do země zarazil, že mu jen devět hlav vyčnívalo. „Tak vyskoč!" volal Valibuk, ale drak se ani pohnout nemohl. I chytil Valibuk cep a všechny drakovy hlavy rozbil na prach. Potom se vrátil ke kněžně.

„Milá kněžno," pravil jí, „tvůj muž tě více trápit nebude; počkej na mě, dokud tvou sestru nevysvobodím."

Kněžna mu děkovala a Valibuk se bez meškání vydal k třetímu zámku. Ten byl ze všech nejkrásnější, celý se zlatem třpytil a Valibuk na něm mohl oči nechat. Ve světnici plné zlata a šperků se smutně procházela kněžna. Když Valibuka spatřila, vykřikla radostí i starostí: „Ach člověče, proč jsi sem přišel? Utíkej, jestli je ti život milý, můj muž, drak s dvanácti hlavami, se vrátí a sežere tě," s pláčem ho varovala, neboť jí bylo mladíka líto.

Ale Valibuk jí řekl: „Jen se, kněžno, netrap, já se tvého muže nebojím." Vtom se zem zatřásla; drakův kyj dopadl před zámek. Valibuk vyskočil, kyj zdvihl, dvakrát jím nad hlavou zatočil a potom jej hodil dvě stě mil daleko. Kyj v povětří zahučel, jako když se žene nejhroznější bouře. Drak se musel pro kyj vrátit; s klením si jej hodil na záda a celý rozzlobený pospíchal domů.

Kněžna Valibuka ukryla, ale drak ho hned ucítil: „Fí, člověčina tady čpí!"

zařval strašným hlasem a obořil se na ženu: „Koho tu máš, přiznej se, nebo spolknu tebe!" Kněžna hrůzou div neomdlela: „Co mně zbývá než ti pravdu povědět, přišel mě navštívit bratr. Prosím tě, nehněvej se a neubližuj mu."

„Dobře, tvůj bratr je můj švagr. Jen ho sem přiveď, chci s ním povečeřet!" Valibuk přišel.

„Vítám tě, švagře," pravil drak hromovým hlasem, „to jsi ty, kdo mi hodil můj kyj tak daleko, že jsem se pro něj musel vracet a vláčet ho na zádech domů?"

„Ano, to jsem já," řekl Valibuk.

„To jsi tedy pořádný chlap!" podivil se drak. „Slyšel jsem od Loktibrady, že

mě přijdeš navštívit. Sem s tvou pravou rukou, ať tě upřímně přivítám." Stiskli si ruce; Valibukovi krev zpod nehtů vystříkla, ale drak měl kosti v prstech rozmačkané. Zapištěl bolestí: „Kdopak kdy slyšel o takovém silákovi! Teď se navečeříme a potom se uvidí, kdo s koho. Byla by to velká potupa, kdyby tvoje jedna hlava měla panovat nad mými dvanácti!" Přinesl ocelový chléb a mosazný nůž a pobízel Valibuka, aby jedl.

„Já se nepotřebuju zocelovat," řekl Valibuk, „mě zocelovala moje matka po devět roků a bůh mě zakalil. To mi stačí. Ale podle tvých prstů jsem poznal, že ty ještě dost zakalený nejsi a potřebuješ se posilnit ocelovým chlebem."

V draku kypěla zlost jako v kotli. Opatrná kněžna viděla, co se děje, i donesla Valibukovi ze svého jídla a podstrčila mu prsten, který mu přidal síly za sto chlapů. Valibuk jí poděkoval, občerstvil se a potom šli s drakem na prostranné ocelové humno. Drak začal dvanácti ohony okolo sebe švihat a mrskat, točil se a svíjel, řval a plameny z tlam chrlil; kam šlápl, všechno prašťělo, a jak zařval, všechno se třáslo. Najednou se začal nadýmat: „Co se já budu špinit s takovým střízlíkem! Rychle daruj někomu svou duši, protože jak tě jednou chytím, dýchat přestaneš." Po těch slovech uchopil Valibuka a mrštil jím, až se silák po pás do ocele zaryl. Valibuk však vyskočil, popadl draka a tak prudce do tvrdé ocele vrazil – jako skálu do vody – že drakovi hned dvě hlavy odpadly. V mžiku chytil Valibuk cep a srážel dračí hlavy jako jablka. Potom si chvilku oddechl a vrátil se ke kněžně do zámku.

„Krásná kněžno," oznamoval jí radostně, „už jsem svou práci vykonal. Tebe i tvoje sestry jsem osvobodil a odvedu vás k vašemu otci. Vezmi si na cestu vše, co se ti zlíbí."

„Bůh ti požehnej!" odpověděla kněžna. „Nikdy nezapomenu na tvou pomoc. Mohu si lehko odnést celý zámek se všemi poklady. Mám kouzelný proutek, a když s ním udeřím do zámecké brány, promění se zámek ve zlaté jablko."

Tak se i stalo. Když ze zámku vyšli, kněžna bránu zavřela, uhodila na ni proutkem a zámek se proměnil ve zlaté jablko, které si kněžna schovala. Šli ke druhé sestře a k třetí sestře a obě měly proutek, kterým si proměnily své zámky v zlatá jablka. Potom je Valibuk vedl k otvoru, kudy se před časem dostal dolů, a chlapci vytáhli jednu kněžnu po druhé na zem. Nakonec přišla řada na Valibuka; ale Valibuk byl chlapík opatrný, přivázal místo sebe na provaz velký kámen, aby zkusil, zdali jsou jeho kamarádi dost poctiví.

„No," povídají si ti nahoře, „ten Valibuk je ale těžký!" Když byl asi v polovici, tu náhle provaz přeřízli a kámen spadl s velkým hřmotem dolů.

„Tak vida, jak bych byl pochodil!" řekl si Valibuk.

Celých sedm let pak bloudil v podzemním světě. Na svých potulkách zpozoroval, že na jedné skále každý rok snáší jakýsi veliký pták vejce, ale že nemůže vyvést ani jediné mládě. Vždy mu je cosi sežralo. Byl to pták Kmochta a mláďata mu žral obrovský had. Valibuk hada polapil a zabil.

Za krátký čas přiletěl Kmochta a velice se zaradoval, když viděl mládě živé; myslel, že zase zahynulo. Tu spatřil Valibuka a řekl: „Ach dobrý člověče, to ty jsi zachránil moje mládě před smrtí? Všechno ti splním, co si jen budeš přát."

„Vysvoboď mě z tohoto podzemního světa," prosil Valibuk.

„Rád ti vyhovím," řekl mu pták Kmochta, „jen nasol na cestu sto volů a připrav sto sudů vody. Až s tebou poletím nahoru a ze zobáku mi bude šlehat plamen, podáš mi cent masa a okov vody."

Valibuk zabil s radostí sto volů, nasolil je, i vodu připravil, a nasedl na ptáka. Letěli dlouho, dlouho, a vždy, když ptákovi ze zobáku plamen šlehal, hodil mu Valibuk cent masa a podal mu okov vody. Ale maso již došlo, konce cesty nebylo vidět a pták měl hlad. Tu si Valibuk rychle uřízl kus masa z nohy a hodil jej ptákovi. Brzy nato se šťastně dostali na boží světlo.

„Ty," povídá Kmochta pták, „to bylo dobré maso, co jsi mi naposled hodil."

„To bylo z mé nohy," usmál se Valibuk, „už jsem jiné neměl."

„Já ti to vyléčím," řekl pták Kmochta, dal mu na nohu jakýsi list a hned se rána zahojila a maso dorostlo.

Valibuk ptákovi pěkně poděkoval a šel do královského města. Celé město bylo pokryto červeným suknem.

„Co se tu děje?" zeptal se Valibuk jednoho měšťana.

„Velké slavnosti se chystají," odpověděl měšťan, „našly se královské dcery a nejmladší se dnes vdává za jednoho, který ji osvobodil."

Valibuk pospíchal do královské síně, kde se strojila hostina. Kněžna přikázala, aby každého, byť i žebrák byl, vpustili, a co žádá, aby mu dali. Valibuk vešel do předsíně a prosil o pohár vína. Kněžna přikázala nalít červené víno do poháru a příchozího pohostit. Valibuk polovinu vína vypil, hodil do poháru prsten, který mu kněžna dala v podzemním zámku, a pohár kněžně vrátil. Když spatřila kněžna v poháru prsten, vyskočila a radostně zvolala: „Tohle je pravý Valibuk, který nás osvobodil. Toho si vezmu za muže!"

Skálobij a Železobij utíkali ze zámku, až se jim za patami prášilo, a Valibuk si vzal za ženu nejmladší kněznu a přestěhoval se s ní do zlatého zámku.